LE BLESSÉ DE GRAVELOTTE

Charles Deslys

Edition : Culturea (culurea.fr), 34 Hérault
Contact : infos@culturea.fr
Impression : BOD, Norderstedt (Allemagne)
ISBN : 9791041838592
Date de publication : juillet 2023
Mise en page et maquettage : https://reedsy.com/
Cet ouvrage a été composé avec la police Bauer Bodoni

I

Rien de pittoresque comme une excursion de Saint-Brieuc à Binic, Tréguier, Paimpol et autres petits ports de cabotage ou de pêche, qui conservent encore de nos jours leur bonne vieille physionomie bretonne.

C'est le chemin de la côte. Tantôt il borde le sable des grèves, tantôt, coupant en droite ligne quelque promontoire, il traverse des bois, des prairies, des rochers et landes sauvages où parfois se dresse un menhir, un dolmen.

Diligences et pataches ne manquent pas sur cette route ; mais les deux voyageurs dont nous commençons l'histoire étaient sans doute trop pauvres pour s'en être permis la dépense. Ils allaient à pied.

Le pays leur semblait inconnu : tout en eux révélait la curiosité, l'étonnement, certains détails permettant même de supposer qu'ils venaient de très loin, peut-être du midi de la France.

L'un d'eux était un vieillard ; l'autre une jeune fille.

Elle paraissait avoir dix-huit ans. Elle était svelte, enjouée. Toute la fraîcheur de son printemps, des traits délicats, de grands yeux noirs et de beaux cheveux blonds où, comme à plaisir, les derniers rayons d'un soleil d'été allumaient en ce moment des reflets d'or.

La brise du soir s'y jouait librement, car la jeune voyageuse, n'ayant plus à se garantir des ardeurs du jour, avait rejeté en arrière, sur les épaules, son petit chapeau de paille brune. La robe, ou plutôt le costume était d'une coupe élégante dans sa simplicité. Le manteau, roulé dans sa double courroie, pendait à la ceinture. La jupe, un peu courte, permettait de deviner, sous la bottine à forte semelle, un pied digne de Cendrillon. Les mains étaient à l'avenant.

Dans sa démarche, dans ses moindres mouvements, il y avait de la grâce, une sorte de distinction naturelle ; sur sa physionomie expressive, le charme de la virginité, un air à la fois timide et résolu qui faisait plaisir à voir.

Si parfois elle quittait un instant son compagnon, pour cueillir une fleur dans la baie, pour grimper sur quelque hauteur d'où son regard espérait un plus vaste horizon, au premier appel, elle revenait, elle accourait, docile et souriante.

- Me voici !... grand-père, me voici !... ne vous inquiétez pas de moi... Bon courage !

- J'en ai !... répondait-il, et des jambes aussi !... N'y va-t-il pas de ton bonheur, fillette ?

Et gaiement, après une caresse, il se remettait en chemin.

C'était, pour le moins, un septuagénaire, mais alerte encore et jeune de cœur. Resté fidèle à la culotte de velours, il avait pour coiffure un grand feutre aux bords relevés en pointe sur le devant. Pour tout bagage, un havresac à l'ancienne mode. Sa longue veste provençale, le bâton formant la crosse sur lequel il s'appuyait en marchant, sa figure austère et douce, ses cheveux blancs comme neige, lui donnaient un air si patriarcal que tous ceux que l'on rencontrait, après l'avoir regardé venir, le saluaient au passage.

Cependant, au sommet d'une côte, il manifesta quelques signes de fatigue et, désignant un tronc d'arbre renversé sur le bord de la route :

- Reposons-nous, dit-il, ma mignonne... et tenons conseil...

Elle s'empressa de le faire asseoir. Puis, après avoir essuyé la sueur qui perlait au front du vieillard, elle lui dit avec un baiser :

- Pauvre grand-père !... Mais c'est que le voilà tout haletant... Ah ! je m'en veux d'avoir consenti à ce que nous achevions ainsi notre voyage !

- Eh ! répliqua le bonhomme, il le fallait bien, puisque notre boursicot s'est épuisé aux guichets du chemin de fer. Un trajet comme celui-là coûte gros. Plus de trois cents lieues, fillette ! Aussi ce matin, en débarquant à Saint-Brieuc, nous avons eu beau fouiller dans nos poches. Le prix de la voiture ne s'y trouvait pas.

- J'aurais pu vendre ma croix d'or, observa la jeune fille.

- Jamais ! se récria le vieillard, je n'ai pas voulu, moi... Oh !... mais non !... Et cependant, ma Jeannette, c'est pour toi surtout que cette dernière doit être pénible...

- Dites donc charmante ! enivrante ! l'interrompit-elle. Un si beau pays... et si différent du nôtre, où l'on ne voit guère que des montagnes arides !... Ici, tout est vert, tout est riant !... Des prairies émaillées de fleurs... Des feuillages où chantent à la fois les oiseaux et les ruisseaux !... Sans cesse de nouvelles surprises... Et ce matin donc, la grande !

– Quelle grande surprise donc, fillette ?

– Quoi ! vous ne vous en souvenez plus, grand-père ?... Il me semble, moi, que j'y suis toujours... Nous sortions d'un bois ; sur notre droite s'étendaient à perte de vue des monticules tapissés de genêts et de bruyères... Une brise étrange venait de par là, qui nous rafraîchissait le front, mais en desséchant mes lèvres... J'y passe la langue, c'était salé. Le vent soufflait plus fort. Il s'y mêlait un bruit inconnu, comme des mugissements... Quelque chose m'attirait... Je cours... je gravis dans les ajoncs une dernière butte de sable... Ah !... plus rien que le ciel et l'eau... De grandes vagues vertes et de l'écume... Dieu ! ô mon Dieu ! que c'était beau ! que c'était grand !... L'immensité !... la mer !...

Jeannette s'était redressée, s'était retournée vers l'occident. L'enthousiasme brillait dans son regard.

– La mer ! poursuivit-elle, oh !... je ne puis en rassasier mes yeux... Mais regardez-la donc ! Regardez !...

Du sommet où s'étaient arrêtés nos deux voyageurs, on dominait l'Océan. L'astre du jour venait de disparaître, laissant après lui, sur les vagues frémissantes, un long ruissellement de lumière. L'horizon semblait en feu. Plus haut, plus loin, c'était de la pourpre et de l'or, des teintes se dégradant depuis le violet foncé jusqu'au vert pâle, toutes les merveilleuses harmonies d'un splendide coucher de soleil.

Au zénith, dans l'azur assombri déjà, naviguaient quelques petits nuages roses. À l'est, les premières étoiles s'allumaient. Sur la terre planait ce calme envahissant, ce recueillement mystérieux de la nature qui s'endort.

Le grand-père eut, comme sa petite-fille, une longue et silencieuse admiration. Puis il lui dit :

– Ils avaient raison, mon enfant ; jamais je n'ai mieux senti que ce soir la toute-puissante majesté du Créateur. Mais il n'en est pas moins vrai que voici la nuit... nous ne pouvons arriver que demain. Où trouver un asile ?

– Bah !... fit-elle, à tout prendre, il y a des meules de foin dans les prés.

– Y songes-tu, fillette, à la belle étoile !...

– Sous le regard de Dieu, grand-père... Il me semble que cela nous porterait bonheur !...

Mais le vieillard ne renonçait pas à l'espoir d'atteindre une auberge, une ferme, où, moyennant le peu qui leur restait d'argent, ils obtiendraient l'hospitalité.

– Allons ! conclut-il, en route !

Sa jeune compagne l'arrêta du geste :

– Reposez-vous encore un instant, grand-père !... Attendons que la lune nous éclaire le chemin... On est si bien ici pour causer... Causons...

Elle avait appuyé sa blonde tête sur l'épaule du vieillard ; elle le regardait d'un air câlin.

– Oh ! oh ! fit-il, je lis dans ces yeux-là qu'ils ont à me demander quelque chose...

– Oui !...

– Quoi donc ?

– Vous le savez bien, grand-père !

– Dis toujours... pour voir si j'ai deviné juste...

Elle lui prit les deux mains, elle lui demanda :

– Ne m'apprendrez-vous pas, enfin, le secret de notre voyage ?

– Ce secret, répondit-il gravement, tu le connaîtras demain.

Et comme elle semblait vouloir insister :

– Ah ! tu m'avais bien promis de ne plus m'interroger à ce sujet !

– D'accord, grand-père ! mais soyez juste... quand il a fallu quitter le pays, la maison, vous m'avez dit : « Ne t'afflige pas... espère !... c'est vers le bonheur, c'est vers la fortune que je te conduis... »

– En effet ! reconnut le vieillard, et cette assurance, je te la renouvelle encore...

– Mais sans vous expliquer davantage... et moi, naturellement, je désirerais savoir, comprendre...

– Tu comprendras quand nous serons arrivés, fillette !

– Quoi ! pas avant ?

– Pas avant ! Mais c'est demain ! Demain les rêves les plus chers se réaliseront... Un changement complet dans ta destinée. Je t'en donne ma parole... et tu dois y croire ainsi qu'à mon affection pour toi.

– Assurément, grand-père. Oh ! j'ai confiance !

– Eh ! s'il en est ainsi, patience donc, curieuse !

– Curieuse... non ; mais cependant, et vous le reconnaissiez tout à l'heure vous-même, il y va de tout mon avenir. Voyons, ce mystère n'a-t-il pas assez duré ? Le terme du voyage est proche.

– Hélas !... oui... soupira le vieillard.

Et, de même que le jour à l'horizon, le sourire s'était éteint sur ses lèvres.

Ce changement frappa la jeune fille.

– Comme vous avez dit cela, grand-père ! murmura-t-elle. Il semble qu'au moment de toucher le but, vous appréhendiez un chagrin ?...

– Qui sait ! répondit-il en se laissant aller à cette tristesse, ce qui fait la joie des uns cause parfois la douleur des autres... Ainsi va le monde, mon enfant !... C'est peut-être la dernière soirée que nous passons ensemble...

Jeanne se récria vivement :

– Mais vous n'y songez pas, grand-père ! Quoi !... si votre espoir se réalisait, il faudrait donc nous séparer ?

– Pour ton bonheur... peut-être !

– Jamais ! déclara-t-elle résolument, jamais ! Je n'ai connu ni mon père ni ma mère... C'est vous qui m'avez recueillie, élevée, aimée. Vous êtes toute ma famille, et je vous aime ! Si mon bonheur n'est possible qu'aux dépens du vôtre, inutile d'aller plus loin, nous pouvons retourner chez nous !

Le vieillard à son tour l'embrassa.

– Calme-toi, bon petit cœur !... dit-il, on verra !...

Puis, trop ému pour ajouter une parole, et jusqu'au bout voulant garder son secret, il reprit le bâton de voyage que lui refusait la jeune fille, et, par une douce violence, il obtint qu'elle le suivît.

II

Avant d'aller plus loin, quelques explications nous semblent devenues nécessaires touchant nos deux voyageurs.

Le vieillard se nommait Claude Lefebvre, ou plus communément le père Claude.

Il avait été, pendant trente-cinq ans, maître d'école dans une petite commune du département du Gard, presque aux portes d'Alais.

C'est une rude profession, dans laquelle on ne s'enrichit guère, surtout en France. À cette époque, les instituteurs étaient encore moins rétribués qu'ils ne le sont aujourd'hui.

Le bonhomme Lefebvre vécut donc pauvre, mais satisfait de sa destinée. C'était par vocation qu'il avait embrassé la carrière de l'enseignement ; il était sobre et chrétien, il n'avait qu'une fille.

Cette fille, venue sur le tard, était l'idole de ses parents. Ils s'appliquèrent, la mère comme le père, à l'élever du mieux qu'il leur fut possible. Tout leur espoir était d'en faire une honnête femme. Malheureusement, par excès de tendresse, ils l'avaient peut-être un peu trop gâtée.

Madeleine, en grandissant, devint coquette, volontaire, ambitieuse. On la vit dédaigner quelques braves cultivateurs qui demandèrent sa main. Des paysans !... Fi donc ! Elle finit par manifester une préférence pour le contremaître d'une grande fabrique. Il sortait de l'école d'Aix. Presque un ingénieur !...

La vallée d'Alais, où semblent s'être concentrées toutes les richesses houillères et métallurgiques du versant méridional des Cévennes, est très prospère aussi sous le rapport industriel. On y trouve des mines et des usines de toutes sortes. C'est une magnifique arène où les audacieux, les habiles peuvent espérer de promptes victoires. Pourquoi Martial Arnoux, le prétendu de Madeleine, ne serait-il pas de ceux-là ? Il était de Marseille, et c'est chose connue que la fortune sourit tout spécialement aux Marseillais. On n'en doute pas sur la Cannebière.

D'autre part, cependant, le beau contremaître avait assez

mauvaise réputation. Une jeunesse orageuse, et surtout la passion du jeu, ce vice de notre Midi... grandes et petites villes.

Avertis par un secret instinct, les vieux parents résistèrent. Mais il leur fallut céder à Madeleine, qui s'obstina quand même à devenir madame Arnoux.

Les commencements de cette union parurent démentir ces fâcheux présages. Puis le mari se laissa reprendre au fatal entraînement du tapis vert. Il perdit des sommes considérables pour sa position, s'acharna contre la mauvaise chance, et, pour s'en consoler, recourut à la débauche. On le renvoya de sa place. Ce fut la misère...

Vainement le père et la mère Lefebvre hasardèrent quelques observations, quelques conseils. Leur gendre les reçut fort mal et finit par leur interdire sa demeure. Madeleine avait pris parti pour son mari. « On ne lui reprocherait rien s'il avait gagné ! » disait-elle.

L'ambition déçue, les cruelles épreuves de cette malheureuse femme aigrissaient singulièrement son caractère. On devinait en elle la rage d'avoir manqué sa vie, une sourde haine contre tous ceux qui, par le travail et la conduite, arrivaient à la fortune ou du moins savaient la conserver. N'est-ce pas, hélas ! un des travers de notre siècle.

Ce ménage devint un enfer. Gros chagrins pour les vieux parents, qui ne voyaient plus même leur fille. Ce fut par des étrangers qu'ils apprirent que Martial, à bout d'expédients, perdu de dettes et peut-être menacé pour des méfaits plus graves, s'était enfin expatrié, en abandonnant sa jeune femme, qui venait de le rendre père.

Ils accoururent. Porte et fenêtres, tout était clos. Maison déserte.

Mais il ne fallait pas en augurer un nouveau malheur. Bien au contraire, c'était par une sorte de bonne fortune arrivée tout à point à l'heure de la détresse.

L'un des propriétaires de l'usine venait de perdre sa femme, morte en couches, et madame Arnoux était installée chez lui, dans des conditions tout exceptionnelles, comme nourrice de l'enfant sans mère.

Le père, établi temporairement aux environs d'Alais, se nommait le comte de Trévelec. Un gentilhomme breton. Marié depuis une année à peine, il adorait la jeune comtesse ; il devint comme fou de la douleur de l'avoir perdue. Aussitôt après l'arrivée de Madeleine, il s'était enfui, il avait disparu, la laissant avec les deux enfants, presque seule dans sa demeure.

Ce fut là que ses parents la retrouvèrent, mais vieillie de dix ans, méconnaissable. Un feu sombre brillait dans son regard. À peine parut-elle s'émouvoir de leurs consolations, de leurs amitiés ; à peine leur permit-elle d'entrevoir les deux petites filles, qui sommeillaient ensemble dans le même berceau.

– Je n'ai besoin de rien, répéta-t-elle à plusieurs reprises. Ne revenez pas... J'irai vous voir...

Des semaines, des nuits s'écoulèrent sans que cette promesse se réalisât. Un soir, enfin, triste soir d'hiver, où le mistral faisait rage autour de l'école, une voiture s'arrête devant la porte... une femme en descend... C'est Madeleine qui tient un enfant caché sous son manteau.

Elle est pâle, enfiévrée, étrange.

– Ma mère, dit-elle, je pars pour Paris, où M. de Trévelec promet de me sortir de peine... Il redemande sa fille, il souhaite que ce soit moi qui l'élève... Je ne puis pas les emporter toutes les deux. Voulez-vous me garder la mienne ?

Avec empressement, la mère Lefebvre accepta.

– Mais toi, demanda-t-elle, quand reviendras-tu ?

– Qui sait ! répondit Madeleine.

Et, sans avoir embrassé ni sa mère ni sa fille, elle se hâta de remonter dans la voiture où celle du comte était restée, elle s'éloigna. On eût dit qu'elle s'enfuyait.

– Ah ! fit le père Claude d'un ton navré, comme le malheur nous l'a changée !... Elle n'a plus de cœur !

Durant la première année, Madeleine écrivit deux fois. Elle semblait satisfaite de vivre à Paris, dans une maison opulente. « Je ne reviendrai au pays, disait-elle, que lorsqu'on ne pourra plus y rire de mon humiliation. »

Peut-être espérait-elle le retour de son mari, et qu'il aurait refait fortune.

Disons-le de suite, afin de ne plus avoir à revenir sur ce triste personnage, il ne devait jamais reparaître.

Il en fut de même de Madeleine, ses lettres devinrent plus rares. Elles finirent par cesser. Des années s'écoulèrent sans qu'on entendit reparler d'elle.

Que devenait la pauvre petite délaissée, l'orpheline ? Elle était élevée, elle grandissait dans la maison de l'instituteur, qui la considérait comme sa propre fille. Quant à la mère Lefebvre, elle disait : « Le démon nous avait repris notre enfant, le bon Dieu nous l'a rendue ! » Et pour sa chère Jeanne, – car c'est de Jeanne qu'il s'agit, – la digne femme se refaisait jeune... jeune de cette seconde maternité qui refleurit au cœur des grand-mères !

Jeanne ne souffrit donc pas de son abandon. Elle fut aimée, choyée, plus encore que ne l'avait été Madeleine. Seulement on ne la gâta pas, celle-là. Si le père Claude lui apprit tout ce qu'il savait, il s'appliqua surtout à lui communiquer cette précieuse vertu qu'il possédait lui-même, et qui consiste à savoir se contenter de peu, à placer son bonheur dans la satisfaction du devoir accompli. Jeanne, d'ailleurs, avait un excellent naturel. Simple et modeste, intelligente et douce, elle était la joie de ses vieux parents.

– Celle-là, se disaient-ils, elle ne causera jamais de chagrin à personne !

Tout ce petit monde vivait donc heureux... Sauf un grave souci, celui de l'avenir. Le bonhomme Lefebvre et sa femme prenaient de l'âge. Après eux, que deviendrait Jeanne !

À force d'y songer, on eut une inspiration. C'était vers l'époque de la première communion de l'enfant. On venait de s'apercevoir qu'elle n'avait pas même été baptisée. Ne pouvait-on pas lui trouver une marraine, un parrain, qui remplaceraient un jour le père et la mère qu'elle n'avait plus ?

Non loin du village, s'élevait la maison de campagne d'une dame d'Alais, Mme Désaubray, veuve d'un colonel d'artillerie. Son fils unique, avant d'entrer au collège, avait reçu ses premières leçons du père Claude, et même plus tard, pendant les vacances des classes élémentaires, il était parfois revenu lui demander des conseils. Il achevait en ce moment ses études à l'École polytechnique.

Un soir, le bonhomme Lefebvre endossa sa grande veste provençale, et se rendit chez la veuve du colonel.

Elle et son fils avaient souvent témoigné au vieil instituteur plus que de l'estime, presque de l'amitié.

Après qu'il lui eut exposé son souci :

– Madame, conclut-il, si vous étiez assez bonne pour m'autoriser à demander à monsieur Bernard d'être le parrain de Jeanne... je crois être certain qu'il ne me refuserait pas... Et, sans compter l'honneur, nous vieillirions plus tranquilles.

Non seulement Mme Désaubry consentit au nom de son fils, mais elle s'offrit elle-même comme marraine.

À quelque temps de là, le congé de Pâques amena Bernard Désaubray.

Ce fut une cérémonie touchante.

La marraine était une de ces femmes dont la position, le caractère et la charité commandent le respect.

Jeanne entrait à peine dans sa onzième année. Impossible d'imaginer une plus intéressante et plus gentille filleule.

Quant à Bernard, il avait revêtu son grand uniforme de polytechnicien.

Qui ne l'aime, cet uniforme, et ceux aussi qu'il recouvre ! Un travail assidu, l'étude des sciences exactes les a mûris avant l'âge, mais sans rien leur enlever du charme et de la poésie de leurs vingt ans. Bien au contraire, ils ont été préservés de cette déflorescence précoce qui trop souvent flétrit la jeunesse oisive. Par la physionomie, ce sont encore des adolescents ; par le savoir et par une certaine gravité qui leur sied bien, déjà ce sont des hommes.

En sortant de l'église, Bernard prit les deux mains de sa filleule, et lui dit avec émotion :

– Jeanne... ce n'est pas un engagement banal que je viens de contracter vis-à-vis de toi... Me voici ton parrain... c'est-à-dire ton second père...

Et, sur un de ces regards qui ne s'oublient pas, on s'était séparé.

Quelques mois plus tard, Claude Lefebvre reçut une lettre cachetée de noir.

III

Le père Claude avait reconnu l'écriture de Madeleine.

Pressentant une triste nouvelle, il monta dans sa chambre, il s'y renferma pour briser le cachet de deuil.

Une seconde enveloppe, également close, était contenue dans la première. Entre les deux, il y avait quelques billets de banque, une lettre.

« Mon père, écrivait Madeleine, je vous adresse mes économies de dix ans : c'est l'héritage de ma fille.

« Quand ce dépôt vous arrivera, je ne serai plus. Je me sens atteinte d'un mal dont on ne guérit pas.

« Pardonnez-moi, vous et ma mère, les chagrins que je vous ai causés. Ne me jugez pas trop sévèrement... Il y avait dans ma vie un secret.

« Ce secret est renfermé sous la seconde enveloppe. Ne l'ouvrez que le jour où la petite aurait besoin d'une protection, d'une fortune.

« Alors, seulement, apprenez tout, mon père ; et, suivant ce que conseillera votre conscience, agissez. »

Quelque étrange que lui semblât ce testament, Claude Lefebvre résolut de se conformer au dernier vœu de la mourante.

Il mit sous clef la mystérieuse enveloppe, et n'apprit à sa femme que ce qu'elle devait savoir.

Les deux vieillards eurent un long entretien, qui ne fut pas sans larmes. En dépit de tous ses torts, Madeleine n'était-elle pas leur fille ?

Puis, ayant appelé Jeanne, ils lui dirent :

– Il faut prendre le deuil, mon enfant, tu n'as plus de mère !

Sa mère !... elle ne l'avait pas connue. Ses souvenirs ne lui en rappelaient pas même une vague image, une caresse.

Mais il y a quelque chose de si doux et de si tenace au cœur dans ce nom de mère, que la pauvre abandonnée se croyait certaine de la revoir un jour et de s'en faire aimer. Ce fut surtout la perte de cette espérance qu'elle pleura.

Une bien autre douleur l'attendait :

La mort de sa grand-mère Lefebvre.

Rude épreuve pour le vieux Claude ! Ses soixante-cinq ans, si vertement portés jusqu'alors, l'accablèrent tout à coup. Il lui fallut prendre sa retraite.

Une retraite de maître d'école. Quelque chose comme cinquante écus de rente !

D'après le conseil de Mme Désaubray, le bonhomme Lefebvre vint habiter Alais. Il y pouvait espérer quelques leçons, quelques travaux d'écrivain public. Jeanne, d'ailleurs, était une habile couturière. Tout en administrant le ménage de son grand-père, – et Dieu sait quelle bonne petite ménagère c'était déjà ! – elle travaillerait de son aiguille, elle irait en journée dans les premières maisons de la ville.

Sa marraine l'avait recommandée partout ; elle était sa meilleure cliente. Deux fois par semaine, même au pavillon d'été, – car la voiture venait la prendre et la ramenait le soir, – Jeanne allait chez la veuve du colonel. Elle s'y voyait traitée comme l'enfant de la maison.

Qui ne se fût attaché à l'orpheline ! Elle était si reconnaissante, si laborieuse, et, ce qui ne gâte rien, elle devenait si gracieuse !... Mme Désaubray, qui vivait presque seule, avait ses heures de tristesse. Elle se fit une douce habitude de causer avec sa filleule ; elle se plut à compléter son éducation. Il y avait là un piano qui ne s'ouvrait plus que bien rarement. On le remit en état pour Jeanne ; et, comme l'intelligente écolière était stimulée par un vif désir de satisfaire sa maîtresse, elle fit des progrès rapides.

Pendant ce temps, le jeune parrain courait le monde. Au sortir de l'École d'application de Metz, il avait débuté dans la carrière militaire par la campagne d'Italie. Il en revint lieutenant... et dans l'artillerie, comme son père.

On ne le voyait qu'aux rares intervalles des congés. Il avait toujours quelques bonnes paroles, un compliment, un cadeau pour sa filleule. Mais ce n'était encore qu'une enfant. Il la considérait comme une sœur.

Quant à Jeanne, chacune de ces visites renouvelait dans son âme les profondes émotions de la journée du baptême. Le plus beau, le plus généreux des hommes, c'était pour elle son parrain Bernard.

Arriva l'expédition du Mexique. Le lieutenant Désaubray partit des premiers. Cette fois ce devait être une longue absence.

Elle se prolongea d'une maladie, la fièvre des Terres-Chaudes, qui contraignit le capitaine, – il revenait capitaine, – à s'arrêter plus de six mois en Amérique.

Enfin, il revit la France ; il accourut, sans même prévenir sa mère, qu'il voulait surprendre.

Ce fut au jardin, par une riante matinée d'avril.

Il s'avança sans bruit derrière elle, il la saisit tout à coup dans ses bras.

Je laisse à penser quelle joie, quelles caresses !

Mme Désaubray ne pouvait se lasser de regarder son fils.

Il avait maigri, bruni. Quelque chose de plus grave et de plus doux à la fois se lisait dans son regard, dans son sourire. On devinait en lui un tout autre homme.

– Mon pauvre enfant !... murmura la veuve, comme tu as souffert !

– Souffert !... non pas, puisque me voilà ! répondit-il avec gaieté. Lorsqu'on revient de si loin, lorsqu'on a vu la mort de si près, le cœur renouvelé bat comme à vingt ans. Tout le charme et l'émeut. Je sens s'épanouir en moi comme une seconde jeunesse.

Cette scène fut interrompue par un bruit de piano qui venait de la maison.

Bernard parut étonné.

– C'est Jeanne ! expliqua Mme Désaubray.

– Quoi ! ma filleule ?

Puis, après avoir un instant prêté l'oreille :

– Pas mal ! dit le capitaine. Ah ! voilà qui est tout à fait bien... Du goût !... de l'âme !

On se dirigea vers le salon.

Au bruit de la porte qui s'ouvrait, Jeanne s'était retournée. Elle reconnut Bernard et se redressa vivement.

- Mon parrain !

Il était parti depuis plus de trois ans ; il s'attendait à retrouver une fillette, et c'était une jeune fille accomplie qui s'offrait à ses regards.

Un rayon de soleil, un rayon matinal, arrivant par la fenêtre ouverte sur le jardin, la mettait en pleine lumière. Son émotion, sa joie la rendaient encore plus charmante.

Tout d'abord, le jeune capitaine resta muet de surprise, puis il embrassa sa filleule et, par des compliments, manifesta sa franche admiration

- Mais que je te regarde encore, mon enfant !... Sais-tu bien que te voilà devenue belle comme une madone !... Un artiste, ayant à peindre le Printemps, te choisirait pour modèle !

Et, malgré les signes de sa mère, il continua sur le même ton. Jeanne écoutait, toute rougissante de plaisir. L'épreuve de l'absence n'avait fait que lui rendre plus cher encore le souvenir de son parrain. Et c'était peut-être la faute de Mme Désaubray elle-même. Dans ses longues causeries avec Jeanne, sans cesse elle lui parlait de l'absent.

Toutes les lettres arrivant du Mexique, elle les lui lisait, s'attachant à prouver que son fils était le plus brave et le meilleur qu'il y eût sous le ciel.

Pour la mère, pour la filleule et le parrain, cette première journée du retour fut un enchantement. Le soir, après la départ de Jeanne, sa beauté, sa grâce, revinrent plus d'une fois à la mémoire du jeune officier. Il en gardait évidemment une vive impression.

Dès le lendemain, il alla rendre visite au père Claude. Jeanne ne se trouvait pas au logis. De quoi parler, si ce n'était d'elle ?

Le vieillard profita largement de cette occasion pour faire l'éloge de sa petite-fille. Avec la verve méridionale, il en racontait mille choses naïves, mais charmantes. C'était un ange... une fée... un cœur d'or... la *pitchotte* !

Elle parut, égayant, éclairant pour ainsi dire, par sa présence, ce modeste intérieur. Sur la prière du visiteur, elle agit comme s'il n'était pas là. Sa simplicité, sa cordialité, son empressement et ses tendresses envers le vieillard, tout attestait qu'il n'avait dit que la vérité.

Bernard s'en revint tout pensif.

Son congé était de six mois. Congé de convalescence. Il le consacra tout entier à sa mère. *Les jours* de Jeanne, on le rencontrait rarement au dehors. Chaque repas les réunissait tous les trois à la même table. Si les deux femmes travaillaient ensemble à quelque ouvrage d'aiguille, le capitaine venait s'asseoir auprès d'elles, et l'on causait. Les vieux militaires ne sont pas les seuls qui se plaisent à raconter leurs campagnes. Puis, c'étaient les heures du piano.

Bernard avait voulu que les leçons fussent continuées. Excellent musicien lui-même, il donnait des conseils ; ou, prêchant d'exemple, exécutait quelque chef-d'œuvre d'un grand maître. À son tour, il devint le professeur de Jeanne. Ce fut en vain que la veuve du colonel hasarda quelques observations. « Bah ! répondait-il, est-ce qu'elle n'est pas ma filleule ? c'est comme si elle était ma fille ! »

On se laissait donc aller à cette douce intimité. La physionomie de l'orpheline, toute sa personne exprimait une profonde reconnaissance de cette double adoption. Pour Mme Désaubray, plus de solitude ; une vie nouvelle semblait l'avoir rajeunie. Quant à son fils, un véritable ravissement, des élans de folle jeunesse. Il l'étreignait alors dans ses bras, il lui disait avec un cri du cœur : « Ah ! mais que nous sommes donc heureux, ma mère ! »

Tout à coup, sans cause apparente, un changement complet s'opéra en lui. Il devint réservé, brusque et froid, surtout avec Jeanne... On eût dit que maintenant il l'évitait. Le jour du départ, il ne l'embrassa même pas. Il se contenta de lui serrer la main d'un air triste : « Adieu, Jeanne ! »

– Mais qu'a-t-il donc ! pensa-t-elle ; est-ce que, sans le vouloir, je lui aurais causé de la peine ? On dirait qu'il ne m'aime plus !

C'était tout le contraire. Mais, prévoyant les obstacles qui rendaient tout espoir irréalisable, il était parti, voulant oublier.

IV

La raison propose, mais le cœur dispose. Ce fut en vain que Bernard s'efforça d'écarter le souvenir de Jeanne ; sans cesse ce souvenir revenait à sa pensée. Ni l'étude, ni le plaisir, rien ne pouvait l'en distraire. Il rechercha la solitude, il y vécut avec son rêve.

Une année plus tard, Mme Désaubray fit le voyage de Paris, où son fils se trouvait en garnison. Elle remarqua sa mélancolie et voulut en savoir la cause. Bernard était la franchise même, il lui confessa toute la vérité.

Grande fut la surprise de la veuve du colonel. Elle était si loin de s'attendre à cet aveu.

- Quoi ! Jeanne !... Est ce possible ?...

- Ma mère, l'interrompit-il, ne me répondez pas encore... Toutes vos objections, je les pressens... je me les suis répétées cent fois... Oui, j'ai voulu me vaincre... Mais vous me voyez à bout de force... Ayez pitié de moi, ma mère ! Il ne s'agit pas d'un caprice qui passe, mais d'un de ces sentiments profonds, absolus, d'où dépend le bonheur de toute la vie. Vous aviez le désir de me marier, n'est-ce pas ? Je vous répondais : Non !... plus tard !... attendant de rencontrer une femme telle que je la rêvais. Le Ciel lui-même semble l'avoir placée sur mon chemin... En connaissez-vous une plus digne de devenir votre fille ?

Mme Désaubray ne pouvait placer une parole. Tant de sincérité, tant de résolution se lisaient dans le regard et dans l'accent de son fils qu'elle en demeurait interdite, épouvantée.

- Que pourriez-vous lui reprocher ? poursuivit-il. Sa naissance ? Mais nous vivons dans un temps où le mérite en tient lieu ! Son éducation ? Mais c'est vous-même qui l'avez complétée, ma mère. Reste la question d'argent, pas autre chose.

- Eh ! c'est déjà beaucoup, se récria-t-elle enfin. Oublies-tu que la loi militaire ne vous permet le mariage qu'à condition de justifier d'une dot en rapport avec le grade ?... et Jeanne ne l'a pas.

Mais le capitaine avait réponse à tout.

– Qu'à cela ne tienne ! déclara-t-il résolument, je puis me créer dans l'industrie une position indépendante.

Sa mère l'interrompit à son tour, et par un véritable cri de douleur :

– Y songes-tu ! Briser ta carrière !

– Nous sommes en temps de paix, répliqua-t-il, et l'honneur ne défend pas qu'on cherche à se rendre utile ailleurs que dans les rangs de l'armée. Voilà déjà six mois que je m'y prépare en secret. Des travaux scientifiques ! Un grand espoir ! Je suis sur la piste d'une découverte qui fera à la fois la fortune de mon pays et la mienne.

En effet, les jours suivants, il conduisit sa mère dans un laboratoire où toutes sortes d'alambics et de cornues, de préparations et de mécanismes attestaient l'ardeur de ses recherches.

Déjà la veuve du colonel avait compris qu'il ne fallait pas lutter, mais temporiser. C'était une excellente femme assurément, la meilleure des mères. Elle rendait justice à Jeanne et ne l'accusait pas. « C'est ma faute, après tout ! » se disait-elle. Et sans le préjugé bourgeois, sans le préjugé militaire, peut-être se fût-elle laissé attendrir. Mais, dans la retraite, elle avait nourri de si hautes ambitions pour l'avenir de son fils... Y renoncer, jamais !

– Cette inclination qui me désole, lui demanda-t-elle, sais-tu si Jeanne la partage ?

– Elle l'ignore ! répondit-il, et pas un mot de moi ne troublera sa vie, jusqu'au jour où j'aurai votre consentement et ma liberté.

Cette loyale déclaration rassura, pour le moment du moins, Mme Désaubray. Elle promit de réfléchir, et voulut, en échange, que son fils s'engageât à de nouveaux efforts pour oublier.

– J'attendrai ! conclut Bernard, mais n'exigez rien de plus, ma mère ; souvenez-vous combien nous étions heureux, là-bas, tous les trois !

Sur ce dernier mot, on se sépara.

La veuve du colonel s'en retournait à Alais. Durant toute la route, elle songea. Sa bonté, sa droiture ne la préservaient pas d'une certaine diplomatie féminine. Elle résolut d'agir avec adresse, et de marier Jeanne au plus vite.

Quand ce serait fait, alors seulement Bernard en recevrait la première nouvelle. Il souffrirait sans doute... mais n'était-ce pas pour son bien ? Plus tard il en remercierait sa mère.

Jeanne ne se doutait de rien. Un désir, une prière de sa marraine, suffiraient pour la décider. S'il le fallait, une franche explication. Mais ne valait-il pas mieux qu'elle ne soupçonnât jamais la vérité ?

Un mari des plus convenables se trouvait précisément sous la main de Mme Désaubray. C'était le successeur du père Claude, un jeune instituteur de bonne mine et d'excellente conduite, qui paraissait fort épris de Jeanne. Une seule considération l'avait jusqu'alors retenu : le peu de fortune qu'il pouvait offrir. Mais la veuve du colonel ne reculait pas devant un sacrifice. C'était bien le moins qu'elle payât les frais de la guerre.

En conséquence, aussitôt son retour, elle fit appeler ce pauvre garçon sous un prétexte quelconque, et sans peine en obtint l'aveu, l'autorisation qu'elle espérait. Après quoi, munie de ses pleins pouvoirs, elle s'en alla faire la demande.

Jeanne refusa.

Insistances de Mme Désaubray... Mais c'est un bon parti... Tu vas sur tes vingt ans... Il faut aimer qui nous aime.

Aveuglée par l'égoïsme maternel, la veuve du colonel ne songeait pas que ce dernier argument, tout à l'heure peut-être, allait se retourner contre elle.

La jeune fille l'écoutait avec déférence, mais sans se laisser convaincre. Un peu étonnée, souriant de son beau sourire, elle lui répondait :

– Mais, pour se marier, ma marraine, il faut que le cœur vous y pousse... et le mien n'y songe même pas... Il me conseille de rester comme je suis, heureuse et tranquille, avec mon grand-père...

Le bonhomme Claude était là. Il ne disait mot, mais il regardait attentivement sa petite-fille.

Mme Désaubray ne se tint pas pour battue.

– Voyons ! reprit-elle, je t'en prie...

– Oh ! l'interrompit Jeanne. Oh ! marraine, ne faites pas cela...

Vous me donneriez le chagrin de ne pouvoir vous satisfaire.

Presque involontairement la veuve du colonel s'écria :

- Et s'il s'agissait de nous rendre service... un grand service ?

- À vous, marraine ? Ah ! mais, parlez alors, parlez vite.

L'explication devenait nécessaire.

- Apprends donc, répondit en hésitant Mme Désaubray. J'arrive de Paris, tu le sais ; j'ai vu Bernard.

À ce nom, Jeanne devint encore plus attentive.

- Eh bien ?

- Eh bien ! il voudrait t'épouser... Jeanne.

Jeanne se redressa tout à coup, très pâle, et portant la main à son cœur comme pour y refermer une sensation jusqu'alors inconnue, délicieuse et cruelle à la fois, qui menaçait d'en jaillir.

Mme Désaubray se méprit sur ce mouvement. Elle était lancée ; d'ailleurs, elle continua :

- Ne t'offense pas de ce que je vais dire, mon enfant ! Tu sais que je l'apprécie... combien tu m'es chère ! Mais il lui faudrait donner sa démission, perdre son avenir, et ce serait notre malheur à tous ! Je fais appel à ton dévouement, à ta raison. Pour l'en guérir, pour le sauver, nous n'avons qu'un seul moyen : cet autre mariage.

- Oh !... pas cela !... pas cela, marraine !... répondit Jeanne d'une voix suppliante. Je comprends, je comprends mon devoir... Oh ! je ne suis pas une ingrate, allez !... Mais ne suffira-t-il pas qu'il me croie perdue pour lui ?... Je partirai... Nous nous en irons si loin, grand-père et moi, qu'il ne me reverra jamais !

L'émotion, la douleur de la jeune fille venaient enfin d'éclairer Mme Désaubray. Tout son orgueil tomba, faisant place à la pitié.

- Pauvre enfant !... elle aussi !... murmura-t-elle.

Puis, à haute voix :

- Ce sacrifice, dit-elle, je ne l'accepte pas... Où donc iriez-vous ?...

Déjà Jeanne avait réfléchi. Une courageuse résolution se lisait dans son regard.

- Chez le comte de Trévelec, s'expliqua-t-elle, l'ancien maître de ma mère. Il offrait autrefois de nous prendre tous les deux. Une lettre de ma sœur de lait, l'an dernier, me le rappelait encore. Elle se disait souffrante et désirait une compagne, une amie. C'est à l'autre extrémité de la France, n'est-ce pas, grand-père ?

Le bonhomme Claude inclina le front affirmativement. Il venait d'y passer la main, comme frappé d'un souvenir.

Mme Désaubray protesta contre ce projet d'exil. On attendrait ! on verrait !

Avant de s'éloigner, elle embrassa sa filleule en lui disant, avec un sincère regret :

– Pourquoi ne m'est-il pas permis de te nommer ma fille !

Cependant Jeanne était restée seule avec le père Claude.

Elle venait de se laisser retomber assise et le front penché dans sa main.

Après un silence, le vieillard s'approcha de la jeune fille et vint la toucher doucement à l'épaule.

Jeanne releva la tête ; son visage était inondé de larmes.

Claude avait tout deviné.

– Ne désespère pas !... dit-il. Attends mon retour, attends !

Et, sur un sourire encourageant, il s'éloigna.

Il venait de se rappeler le mystérieux testament de Madeleine.

V

L'absence du père Claude dura plus d'une heure. Quand il reparut, sa physionomie conservait l'impression d'une vive émotion.

- Sèche tes larmes ! dit-il à Jeanne, tu seras la femme de Bernard !

Elle se redressa, toute surprise, mais plus encore inquiète de l'agitation du vieillard.

- Grand-père, que dites-vous ? Que se passe-t-il donc ? Vous voilà tout bouleversé, tout chancelant...

- On le serait à moins ! murmura-t-il. Quelle découverte !

Sa petite-fille s'était empressée de courir vers lui. Elle le soutint, le guida jusqu'à son fauteuil, et quand il y fut assis, s'agenouillant à ses pieds :

- Calmez-vous, grand-père ! lui dit-elle. Expliquez-moi... Ah ! voilà que vous pleurez aussi maintenant.

- C'est de joie ! balbutia-t-il, secoué par un tremblement convulsif. Et cependant... Ah ! ma pauvre Jeanne !

Il la regardait d'un air navré. Tout à coup, il la saisit dans ses bras, la pressa contre son cœur. Puis, s'étant dégagé de cette étreinte et s'efforçant de sourire :

- Là ! fit-il, c'est passé ! me voilà remis... ne crains rien... la force et le courage me sont nécessaires... et je veux en avoir ! J'en aurai ! Si tu savais !

- Mais, répliqua la jeune fille, qui maintenant souriait aussi, mais je ne demande qu'à savoir...

- Non ! l'interrompit-il, pas encore !... N'abuse pas de mon trouble... Il s'agit d'un grand secret... Tu le sauras, parbleu ! mais plus tard, et d'une autre bouche que la mienne... Ah ! ah ! pour que tu sois heureuse, il te faut une dot... Eh bien ! je te la promets, voilà tout !

Jeanne pensa naturellement à Martial Arnoux, qui n'avait pas donné signe de vie depuis son départ pour l'Amérique.

- Auriez-vous reçu des nouvelles de mon père ?... demanda-t-elle. Est-ce qu'il serait de retour avec une fortune ? Est-ce qu'il se souviendrait de sa fille ?

– Ton père !... fit évasivement le vieillard, je ne veux te répondre ni oui ni non... Laisse-toi guider par moi... tu verras !... Nous allons partir !...

– Partir ! Mais où donc voulez-vous me mener, grand-père ?

Il la fit asseoir à ses côtés, et lui dit :

– Sais-tu bien, fillette, que tu as eu tout à l'heure une véritable inspiration.

Et, comme elle le regardait, étonnée :

– En songeant à ta sœur de lait, s'expliqua-t-il, à Mlle de Trévelec... C'est chez son père que je te conduis.

– Quoi !... vous espérez que le comte...

– Il ne nous refusera pas son appui, je te l'affirme... Mais, durant ce voyage, trêve à toute curiosité !... pas de questions ! Je t'ai dit et je te répète que tu seras Mme Bernard Désaubray... Cette assurance ne doit-elle pas te suffire ? Tu sais que je n'ai jamais menti, mon enfant... Regarde-moi, tu verras que je parle avec conviction... Ne m'en demande donc pas davantage... Aie confiance !

– Soit ! conclut-elle. Quand partons-nous ?

– Ce soir même ! répondit-il. À mon âge, il ne faut pas remettre au lendemain. Va tout préparer, mignonne. Mais rien que le strict nécessaire pour quelques jours. Pas de malle ! Mon vieux havresac ! Et, légers de cœur comme de bagages, en route !

VI

Toute trace d'angoisses avait disparu du visage du bonhomme Claude. Il était résolu, il semblait gai. Cette confiance gagna Jeanne, et le train du soir les emporta tous les deux.

Même en chemin de fer, le trajet est long d'Alais à Paris. Souvent la jeune voyageuse resta pensive. Pourquoi le père Claude s'obstinait-il à garder le silence ?... D'où lui venait cet espoir inexpliqué ? Mais quel était, quel était donc ce but mystérieux vers lequel on allait si vite !

Le vieillard, qui semblait lire dans sa pensée, lui dit alors :

- Ne cherche pas à deviner, fillette ! Ce n'est pas moi, c'est le bon Dieu lui-même qui se chargera de tout arranger... Les cœurs aimants, les âmes sincères... Il les prend toujours en pitié... Oui, mon enfant, tôt ou tard, il leur fait rendre justice !

Parfois, cependant, le père Claude avait aussi ses heures de tristesse. Des mots lui échappaient, décelant une vive appréhension pour lui-même. Mais, si Jeanne en témoignait la remarque :

- Bah ! disait-il, ton bonheur avant tout !... Ne t'inquiète pas de moi... Je serai content, heureux... Tu dois voir l'avenir tout en rose !

Jeanne avait fini par s'habituer aux étranges réticences du vieillard. Elle espérait, elle croyait... On croit facilement à ce qu'on espère !

Une première déconvenue les attendait à Paris. Le comte de Trévelec était en Bretagne.

- Partons pour la Bretagne ! dit gaillardement le bonhomme Claude, ce n'est qu'un retard...

- On dirait que vous en êtes enchanté, grand-père ? observa Jeanne.

- Je le suis d'autant moins, répliqua-t-il sur un tout autre ton, que la première étape a dévoré les deux tiers du petit boursicot que nous avions en partant. Ah ! ça coûte cher, les voyages !

- C'est qu'aussi vous avez voulu prendre l'express.

- Parbleu ! quand on est pressé ! Mais cette fois, mignonne, il faut se contenter du train omnibus... seconde classe.

Il durent en rabattre jusqu'à la troisième, et l'on sait qu'à Saint-Brieuc il ne leur resta pas même l'argent nécessaire pour la diligence du chemin de la côte.

À pied, mais gaiement, nous les avons vus poursuivre leur route, et le soir, sur une hauteur déserte, être embarrassés d'un gîte.

Ils passèrent la nuit dans une ferme. Dans une autre, ils déjeunèrent le lendemain. Des galettes de blé noir et du lait. Puis ils se remirent en marche pour la dernière fois. Quelques kilomètres seulement les séparaient du terme de leur voyage.

Si près de l'atteindre, la curiosité de Jeanne redoublait. Cependant, fidèle à sa promesse, elle ne se permettait plus que des questions incidentes :

– Ce comte de Trévelec, le connaissiez-vous autrefois ? Avant-hier, à son hôtel, vous a-t-on parlé de sa fille ?... Est-elle en ce moment avec lui ? Peut-être qu'il l'aura mariée ? Dans sa dernière lettre, Mlle Henriette se disait souffrante... Savez-vous si elle va mieux ? si elle est jolie ?

– Mais je n'ai rien demandé de tout cela, fillette ! avait répondu le vieillard. En apprenant que celui que nous venions chercher de si loin se trouvait absent, je m'en suis retourné tout penaud, sans m'enquérir d'autre chose que des chemins qu'il fallait prendre pour arriver à Trévelec. Le comte, je me souviens de l'avoir entrevu lorsqu'il habitait nos environs. Il y faisait beaucoup de bien. Un digne gentilhomme ! Mais, après la mort de sa femme, il quitta le pays, et pour n'y jamais revenir. Voilà près de vingt ans de cela !

– Et ma sœur de lait ?... Vous ne m'en parlez pas ?...

Ce ne fut qu'après un silence et d'une voix sensiblement altérée que le vieillard répondit :

– Tout ce que je puis t'en dire... et tu ne l'oublieras pas, mon enfant !... c'est qu'elle a manifesté pour toi de généreuses intentions... Il faudra l'aimer, Jeanne !...

– Oh ! je m'y sens toute disposée. Mais comme vous m'avez dit cela d'un air ému, grand-père !...

– Chut ! l'interrompit-il en se remettant aussitôt. Est-ce que je n'aperçois pas un clocher ? D'après nos renseignements, ce doit être

Trévelec.

La route tournait, redescendait vers un de ces nombreux vallons qui, sur les côtes de Bretagne, aboutissent à la mer. Des maisons, des chaumières s'éparpillaient au bord de cette crique, où l'on voyait aussi par-dessus les toits quelques barques échouées sur le sable. L'église s'élevait en avant du village, à droite du chemin. À gauche, mais un peu dans les terres, le château.

C'est une de ces constructions de silex et de briques, aux grandes cheminées rouges, à l'aspect hospitalier plutôt que féodal, et qui datent du roi Henri IV. Sa situation bien choisie sur un ressaut du val lui permet, tout en restant à demi cachée dans les arbres, la jouissance des deux perspectives. Vers l'Océan, pas de mur de clôture ; une haie vive borde la route et la sépare du vaste herbage qui monte en pente douce jusqu'à la cour d'honneur, convertie en jardin. Derrière le manoir, entre deux collines boisées, le parc se devine.

Impossible d'imaginer une résidence, une retraite plus pittoresque.

Cependant, nos deux voyageurs venaient de s'arrêter devant la grille. Elle était fermée. Mais plus loin, par une petite porte entrouverte, on apercevait la maisonnette du concierge. Ils entrèrent.

Personne sur le seuil... et, dans l'intérieur, non plus personne.

À quelques pas de là, parmi les herbes hautes, deux enfants jouaient sous la garde d'une fillette un peu plus grande. La sœur aînée, probablement. Tous les trois ils étaient en deuil.

Le père Claude s'avança vers ce groupe, et calmant du geste la jeune Bretonne, qui, tout effarouchée de l'approche d'un inconnu, se redressait, comme prête à s'enfuir :

– N'aie pas crainte de nous, lui dit-il, et réponds-moi... c'est bien ici le château de Trévelec, n'est-ce pas ?

Elle baissa la tête en signe affirmatif, et ne bougea plus, regardant en dessous les deux étrangers.

Vainement le vieillard l'interrogeait... pas un mot.

Jeanne intervint :

– Puisque tu es muette, lui demanda-t-elle, indique du moins qui nous répondra.

La petite sauvage étendit le bras vers le manoir.

– Allons de l'avant ! fit le bonhomme Claude, en s'engageant le premier dans le chemin sablé de menu galet qui, diagonalement, traversait l'herbage.

Quelques arbustes accompagnaient la barrière du jardin. Il l'ouvrit et s'écarta pour laisser passer Jeanne.

En approchant de la maison, dont rien ne masquait plus la façade, elle remarqua que tous les volets étaient fermés.

Aux alentours, pas une créature vivante – un profond silence.

– Il paraît qu'on se lève tard ici ! murmura-t-elle.

Puis, tout à coup, désignant la porte à deux battants qui surmontait le perron :

– Grand-père, regardez donc au-dessus de l'entrée...

– Quoi ? demanda-t-il, car la distance était trop grande encore pour ses yeux, affaiblis par l'âge.

– Cet écusson !... s'expliqua-t-elle. Et sa voix tremblait.

– Les armoiries du comte, sans doute, fit le vieillard.

– Elles sont voilées d'un crêpe noir ! acheva Jeanne.

– Dieu !... s'écria le père Claude, est-ce que nous arrivons trop tard !

VII

Le bonhomme Lefebvre avait pressé le pas. Il gravit les marches du perron, il entra dans le vestibule.

Personne... Aucun bruit... Le silence du tombeau.

À côté de la porte, Jeanne remarqua le cordon d'une sonnette ; elle l'agita.

Des pas se firent entendre. Une servante parut. Son costume était celui des veuves de Bretagne.

- Le comte... balbutia Claude d'une voix haletante, nous voudrions parler au comte de Trévelec.

- Il est dans le parc, répondit la servante.

Alors seulement le vieillard respira.

- Mais, demanda-t-il, mais pourquoi cette tristesse et ce deuil ! Votre maître ne s'était pas remarié, je crois. Il n'avait qu'un enfant. Qui donc est mort ?

- Hélas ! mes bonnes gens, c'est la demoiselle !

Un cri douloureux s'échappa des lèvres de Jeanne :

- Sa fille !... ma sœur de lait !... Henriette !

Quant au père Claude, accablé, chancelant, muet de consternation, il recula jusqu'à la banquette ; il s'y laissa tomber.

- Voilà trois mois déjà qu'elle est auprès du bon Dieu ! poursuivit la Bretonne. C'était vers le milieu du printemps... Oh ! nous l'avons tous bien pleurée !... Elle était si bonne, la demoiselle !... Le maître en est quasiment fou de chagrin. Il a congédié presque tous ses gens ; ses amis n'osent plus venir ; mais, qu'on soit du pays ou d'ailleurs, personne n'est rebuté par lui. Cherchez-le dans le parc, il vous accueillera. C'est là surtout qu'on le trouve, aux endroits aimés par sa fille. Il l'appelle, il lui parle, et des larmes tombent encore de ses yeux... Ça fend le cœur !

À ces paroles émues, la servante ajouta quelques indications. Le père Claude s'était relevé, l'avait suivie jusqu'au bas du perron. En apercevant le clocher de l'église, il traça sur sa poitrine un signe de croix. Cette mort l'avait étrangement impressionné. Cependant, il se montrait plus impatient que jamais de rencontrer enfin le comte.

- Grand-père, hasarda Jeanne, tandis qu'ils s'engageaient tous les deux dans le chemin contournant la maison, grand-père, il me semble que nous arrivons bien mal ?

- Au contraire ! répondit-il évasivement, tu verras ! tu verras !

Le jardin se prolongeait de l'autre côté jusqu'au bord d'un étang, entouré de joncs et de roseaux, de fluviatiles et de nénuphars. Des peupliers, des saules pleureurs croissaient sur ses rives. Vers la gauche, s'étendait un verger normand. La ferme, masquée par un rideau de feuillage, se devinait à droite. Au fond, par un magnifique groupe de platanes, commençait le parc.

Ce parc occupait tout l'espace compris entre les deux coteaux boisés du val. Dessiné pour ainsi dire en pleine forêt, il en gardait le charme et la majesté. Des lierres, des vignes vierges, des clématites sauvages, toutes sortes de lianes gigantesques grimpaient jusqu'aux plus hautes branches des arbres séculaires, et, se mêlant à leur ombrage, ils le rendaient encore plus épais et plus sombre. Par opposition, les parties dégagées, ensoleillées, semblaient délicieuses.

Mais, depuis le printemps, tout s'en allait à l'abandon. L'herbe et les feuilles mortes envahissaient déjà les allées. La mélancolie du château s'étendait sur tout le domaine.

Claude et Jeanne allaient au hasard. Vainement ils prêtaient l'oreille. Un bruit de pas leur arriva enfin. C'était l'entrée d'une clairière. Par un instinct de discrétion, ils se dissimulent derrière le tronc d'un chêne... Ils regardent.

Un homme de haute taille et tout vêtu de noir s'avançait lentement, la tête penchée sur la poitrine. Sa démarche ne semblait pas celle d'un vieillard, et déjà cependant sa barbe était presque blanche.

- C'est lui ! Je le reconnais !... murmura Claude.

À peu de distance de l'arbre se trouvait un banc, des sièges rustiques. Le pauvre père vint s'asseoir, et resta quelques instants songeur. Puis, avec un mouvement qui permit de voir son pâle visage, où se lisaient à la fois la douleur et la bonté :

- Elle se plaisait ici ! dit-il. Henriette ! ma pauvre Henriette ! Comme sa mère, il y a vingt ans ! Et l'enfant, du moins, me restait alors ! Aujourd'hui, plus rien ! seul ! Ah !... Mais permettez-moi donc de les rejoindre, mon Dieu ! puisque vous ne pouvez plus rien que cela pour me consoler !...

- Qui sait !... fit le père Claude en se montrant tout à coup. Il ne faut jamais désespérer de la bonté de Dieu, monsieur le comte.

À ces paroles inattendues, à l'aspect de ce vieillard, le comte de Trévelec demeura tout d'abord interdit.

- Mais, balbutia-t-il, je ne vous connais pas... Pourquoi me parler ainsi ?... Qui donc êtes-vous ?...

- Claude Lefebvre, répondit-il, le père de celle qui fut la nourrice de votre enfant.

- Ah !... fit le comte, je me souviens... Madeleine ! Elle aimait mon Henriette... elle l'aimait bien !...

Puis, apercevant Jeanne :

- Quelle est cette jeune fille ? demanda-t-il brusquement.

- La sœur de lait de celle que vous pleurez, expliqua Claude Lefebvre.

- Je comprends ! murmura le père désespéré, c'est la fille de Madeleine... C'est votre petite-fille... Ah ! vous êtes heureux, vous !

- Qui sait ! fit pour la seconde fois le vieillard.

Il y eut un silence, durant lequel le gentilhomme breton semblait prendre plaisir à regarder Jeanne.

Puis, tout à coup, avec un geste de douleur :

- Ah ! s'écria-t-il, sa vue me fait mal !... Pourquoi me l'avoir amenée ?... Que souhaitez-vous de moi tous les deux ?

Claude hésitait.

- Mais qu'attendez-vous, grand-père ? dit Jeanne. Vous voyez bien que M. le comte souffre de ma présence... et qu'il a hâte que je sois partie.

Un changement, un apaisement soudain venait de se manifester dans la physionomie du gentilhomme. Surpris, comme charmé par l'accent de Jeanne, il la regardait de nouveau, mais avec une émotion plus sensible encore.

- Cette voix ! murmura-t-il, ces traits ! ils ne me sont pas étrangers. Pardon, mon enfant... Je ne regretterai pas de vous avoir vue, au contraire... Henriette désirait vous connaître, et pouvoir vous rendre service... Ce vœu de la pauvre morte, son père serait heureux de le réaliser. Dites-moi ce qui vous amène... et quel était votre espoir... Dites !

Ce fut le vieil instituteur qui répondit :

– Pour vous-même, monsieur le comte, il s'agit d'une grande consolation.

Déjà le sourire d'une amère incrédulité se dessinait sur les lèvres du gentilhomme.

Avec l'autorité de la conviction, Claude poursuivit :

– Rappelez-vous la naissance de votre fille et dans quelle circonstance vous l'aviez confiée à Madeleine. Lorsqu'elle fut à Paris, lorsqu'elle s'y fixa sans retour, ne vous êtes-vous jamais étonné de l'abandon, de l'oubli de son propre enfant pour l'amour du vôtre...

– En effet, reconnut le comte, son dévouement, sa tendresse pour Henriette, m'ont semblé parfois étranges.

– J'appris la mort de Madeleine, reprit le vieillard, par une lettre qu'elle avait préparée d'avance, et qui renfermait un autre pli cacheté. Elle me conjurait de ne pas l'ouvrir avant la vingtième année de sa fille. Encore fallait-il que, pour être heureuse, cette enfant, élevée par nous, eût besoin d'une autre protection... d'une fortune.

– D'une fortune ! répéta le comte.

– J'avais respecté le cachet, acheva Claude Lefebvre. Ce testament de Madeleine, je n'ai cru devoir l'ouvrir qu'il y a quatre jours, et tout aussitôt je suis parti pour vous l'apporter, monsieur de Trévelec... car ce n'est pas à moi seulement qu'il s'adressait. Le voici.

L'écrit qu'il présentait, déjà déplié, fut pris par le comte, qui n'y promena tout d'abord qu'un regard de curiosité. Puis il tressaillit, s'arrêta, passa la main sur ses yeux, comme s'il eût douté de leur témoignage, et recommença de lire, mais cette fois avec une émotion croissante. Ses mains tremblaient, des mots inarticulés lui venaient aux lèvres.

Enfin, ce cri s'en échappa :

- Dieu !... mon Dieu ! mais vous m'avez donc entendu... Mais, par un miracle de votre bonté, les morts ressortent donc du tombeau !

Une telle joie le transfigurait. Il s'était redressé, les yeux au ciel ; il retomba, palpitant et les bras tendus vers Jeanne.

Elle le regardait attendrie, toute surprise.

- Jeanne ne sait rien encore ?...

- Rien ! dit vivement le père Claude.

Le comte parvint à se remettre. Il présenta le testament à la jeune fille ; il lui dit avec douceur :

- Cette révélation vous concerne, mon enfant. Lisez à votre tour... Lisez haut.

De plus en plus étonnée, Jeanne obéit.

Le testament de Madeleine était ainsi conçu :

« Une force invincible, le remords, me pousse à cette confession... mais qui longtemps encore restera secrète pour vous, mon père, à qui je la confie. Je ne veux pas avoir commis un crime inutile.

« Plus tard, si jamais le comte de Trévelec apprend la vérité, il ne se vengera pas sur l'innocente que, pendant des années, il aura chérie comme son enfant.

« Rappelez-vous... rappelez-vous, mon père, ce que l'abandon et le malheur avaient fait de moi. Une idée fixe m'obsédait, prendre ma revanche contre le destin ! La ressemblance des deux petites créatures que je nourrissais me tenta... L'une était vouée à la misère, l'autre serait riche... J'ai voulu que ce fût la mienne !

« C'est la mienne que j'ai portée à Paris... C'est ma fille à moi que je suis venue offrir aux baisers du comte de Trévelec, et qui porte aujourd'hui son nom.

« L'autre, la véritable héritière du comte, sa filleule, c'est celle que je vous avais laissée, mon père... Celle qui a grandi sous votre toit... Jeanne.

« Au moment de paraître devant Dieu, je reconnais et déclare que j'ai deux fois menti... Que ceux qui auront eu à souffrir me le pardonnent ! »

Jeanne achevait à peine cette lecture, elle n'avait pas encore relevé les yeux, lorsque deux bras la saisirent, lorsqu'une voix, la voix du comte de Trévelec, lui cria :

– Mais tu n'as donc pas *compris* ? Mais tu ne sens donc pas que tu es ma fille ?

VIII

Il est des situations qu'il faut renoncer à décrire.

Quelques jours se sont écoulés. Le château de Trévelec n'est plus le même. Il a ses fenêtres ouvertes au soleil, à la brise du soir, au parfum des fleurs, à toutes les joies de la nature, qui sont rentrées, en même temps que le bonheur, dans la maison.

Le comte semble rajeuni de vingt ans. Installer Jeanne au manoir, reprendre dans son cœur la place d'un père, quel ravissement pour lui ! quelle fête ! Il est impatient de réparer le temps perdu ; sans l'aimer, il ne peut se lasser de la voir et de l'entendre.

Elle lui a tout dit, son enfance et son éducation, le dévouement du père Claude, l'amitié de Mme Désaubray, l'amour de Bernard.

À l'émotion de sa fille, M. de Trévelec a déjà compris que cet amour est partagé. C'est bien aussi l'opinion du bonhomme Lefebvre ; ils en ont longuement causé tous les deux.

Ne voulait-il pas s'en retourner, et dès le premier jour, ce pauvre Claude ! Il a fallu le retenir de force, et que Jeanne elle-même imposât son autorité.

Le vieillard venait de dire :

– Ma place n'est pas ici ; je ne vous suis plus rien, Mademoiselle...

Un embrassement, un cri du cœur lui ferma la bouche.

– Votre enfant toujours !... toujours votre Jeanne !

Et le père Claude s'était déclaré vaincu.

Toutes choses se trouvant ainsi réglées, le comte dit un soir à sa fille :

– Ta marraine ignore ce que tu es devenue. Il serait convenable de le lui faire savoir. Écris... J'ajouterai quelques mots, en remerciement de ses bontés.

La réponse ne se fit pas attendre.

Mme Désaubray était dans l'enchantement. Cette nouvelle position de sa filleule, elle se félicitait d'avoir contribué pour sa part à l'en rendre digne. Quelle ne serait pas la joie de Bernard ! Elle venait de lui écrire. Mais, hélas ! quand le reverrait-on ? Il y avait dans l'air des bruits de guerre...

Elle fut déclarée : c'était la guerre contre la Prusse.

Une lettre de Bernard arriva, complimentant sa filleule. Pas un mot d'amour. Mais on sentait battre le cœur à chaque ligne.

Le régiment du capitaine Désaubray faisait partie de l'avant-garde. Il était à Châlons déjà, marchant vers la frontière.

– J'allais donner ma démission, disait-il. L'honneur ne me le permet plus maintenant ; je me dois à mon pays.

Le comte répondit par une invitation de venir à Trévelec après la campagne.

C'était la troisième fois que Jeanne voyait partir ainsi son parrain.

Elle pria Dieu de l'épargner encore ; et, sans trop d'inquiétude, elle attendit.

Qui ne se rappelle les illusions d'alors ?...

Qui ne supposait notre armée invincible ? Elle se mettait en marche comme pour une partie de plaisir. C'était en plein été, par de beaux jours de soleil. Un bataillon, formé des petits détachements de la côte, traversa le village. Il y avait des branches vertes au bout des chassepots. Les soldats chantaient. Pas un qui ne crût à la victoire !

Le comte, cependant, avait voyagé de l'autre côté du Rhin ; il connaissait l'Allemagne... mais il se taisait, ne voulant pas qu'un mot d'appréhension le fît considérer comme un prophète de malheur.

Il ne fallait pas décourager les gardes mobiles qui s'enrégimentaient, et gaiement, des Bretons !

Trois semaines s'écoulèrent dans l'espérance d'un premier succès. Rien encore !... C'était bien long ! Il se fit de ces grands calmes qui précèdent les orages.

Assez d'auteurs ont décrit les émotions des provinces de l'Est et de la capitale. Nous sommes dans un village isolé tout au fond de la Bretagne. À pareille distance du théâtre des opérations militaires, on n'en perçoit que de lointains échos. Mais le télégraphe maintenant va partout. Un soir, tout le monde court à la mairie. C'est une dépêche ! c'est la nouvelle d'un combat heureux !... Et nos paysans de se frotter les mains... « Ça va !... ça va !... Nous les tenons !... » On va chercher le joueur de biniou, on veut danser... Vive la France !

Autre dépêche le surlendemain... mais bien différente, celle-là !... La défaite de Wissembourg !

Tous les fronts se rembrunirent. On avait le cœur serré ; on se répétait : « La guerre commence mal ! »

Mais ce n'était là qu'une surprise, un accident. La revanche allait arriver, éclatante... Il arriva l'aveu de deux grandes batailles perdues le même jour : Reichshoffen et Forbach !

Bernard avait dû se trouver là ! Qu'était-il advenu de Bernard !

Ce cri d'alarme qui venait de s'entendre au château, sous combien de toits de chaume ne se reproduisait-il pas, pour un fiancé, pour un fils ! Dans notre vieille Armorique, on est trop pauvre pour se racheter du service militaire. Et, d'ailleurs, on a du patriotisme. L'angoisse, la colère, brillaient dans tous les yeux. Il y eut une période fiévreuse et sombre. Le ciel lui-même s'était voilé. Des flots de larmes en tombèrent...

On voyait passer des soldats rappelés sous les drapeaux, des mobiles en blouse avec leur petit paquet au bout d'un bâton. Tout cela sous la pluie. C'était bien triste.

Enfin, Jeanne reçut une lettre de Mme Désaubray. Le corps du général Ladmirault, dont Bernard faisait partie, n'avait pas encore donné. Il se repliait sur Metz.

Metz ! c'était là surtout qu'on se battait ! Une lutte d'extermination parut s'accomplir dans le cercle de fer et de feu qui, chaque jour, se resserrait autour de notre dernier rempart.

On apprit le désastre de Sedan. Metz allait se trouver complètement investi. Plus de nouvelles !

Même après la révélation de Mme Désaubray, Jeanne ne s'avouait pas encore le sentiment qu'elle éprouvait pour son parrain. Le sachant menacé de tant de périls, elle comprit enfin comment elle l'aimait.

Une douce mélancolie, une tristesse qui n'était pas sans charmes, descendit dans son âme. L'automne approchait, enveloppant les prés et les bois d'un voile de deuil. Que d'heures ne passa-t-elle pas au bord de la mer, immobile, rêveuse et priant tout bas, tandis que son regard suivait à l'horizon les longues files d'oiseaux voyageurs qui se perdaient dans la brume !

Ils reviendraient au printemps, ceux-là ! Combien de nos pauvres soldats ne reviendraient jamais !

On les voyait aussi partir par bandes, et toujours. Après les mobiles, les mobilisés. Sur la côte bretonne, chacun fit son devoir. On ne rencontrait plus dans le village que des vieillards et des enfants. L'instituteur lui-même s'en alla. C'était le père Claude maintenant qui tenait l'école.

Un jour, le comte de Trévelec annonça sa résolution de rejoindre les volontaires de Charette. Jeanne sentit qu'il serait inutile de l'en détourner. Alors que les paysans donnaient l'exemple, un gentilhomme ne devait pas rester en arrière.

– Du reste, avait-il dit à sa fille, les châtelaines ont aussi leur tâche, et tu ne t'ennuieras pas, mon enfant. Je t'ai taillé de la besogne.

En effet, toute une aile du château de Trévelec avait été préparée pour recevoir les convalescents de l'armée de la Loire. De l'autre côté, on ferait de la charpie pour les blessés, des vêtements chauds pour ceux qui combattaient encore.

Ils en avaient grand besoin, car l'hiver arrivait, rigoureux et précoce. Déjà la neige avait couvert les chemins. Il gelait comme à la retraite de Moscou. Les éléments, contre la France envahie, s'acharnaient à leur tour.

L'ouvroir, ainsi que l'ambulance, était sous la direction de Jeanne. Quelques éclopés, quelques malades lui furent bientôt envoyés de l'hôpital de Saint-Brieuc. Avec l'aide de la bonne sœur, institutrice communale, elle les installa, les soigna comme une sœur de charité. Levée chaque jour avant l'aube, c'était par eux que commençait sa mission.

Puis elle passait vivement dans l'atelier, préparait le vieux linge, distribuait la laine et taillait des vareuses. « Est-ce heureux, se disait-elle souvent, que Mlle de Trévelec n'ait d'abord été qu'une simple couturière ! » Sous ses ordres venaient se ranger les femmes du village ; et pas une ne manquait à l'appel, car la libéralité du comte avait voulu que, tout en travaillant pour leurs maris et pour leurs frères, un juste salaire assurât le pain de la maison.

Il faut le dire à la gloire de notre pays : le malheur, durant ce rude hiver, y fit reconnaître la concorde et l'émulation du bien. Plus de riches ni de pauvres. On s'entraidait, on se consolait, on s'aimait. Un jour peut-être la Providence nous en tiendra compte.

Dans les villages isolés surtout, comme à Trévelec, tout fut mis en commun, le dévouement et les angoisses. Une des plus cruelles était l'incertitude des événements, le manque de nouvelles. Aussi, les jours de marché, comme l'on s'empressait autour des charrettes revenant de la ville ! Chaque matin, c'était à qui s'en irait au-devant du piéton.

Heureux et jalousés ceux qui recevaient une lettre. Des groupes se formaient devant leur porte, impatients d'apprendre enfin quelque chose. Et quand il y avait un télégramme pour l'instituteur, on le savait immédiatement jusqu'à l'autre bout du village. Les sabots sonnaient sur la terre durcie. Tout le monde courait à l'école, où le père Claude transcrivait la dépêche. À peine l'avait-il affichée au volet, que bien vite un gamin montait sur la pierre placée au-dessous. Il en donnait lecture à haute voix. Et c'étaient des vivat ! et c'étaient des hélas ! Pas une de ces poitrines haletantes où ne battît en ce moment le cœur de la France.

Jeanne n'était pas la dernière à envoyer savoir ce dont il s'agissait. D'une des fenêtres du château, elle guettait l'arrivée du facteur, l'apparition d'une dépêche. Souvent même elle accourait. Ce fut ainsi qu'elle apprit que Metz avait capitulé. Les survivants de l'armée de Bazaine allaient au moins se faire connaître !

Un mois, un siècle s'écoula. Rien ! Mais il était donc mort, puisqu'il n'écrivait pas !

Sa mère écrivit enfin, Bernard avait donné signe de vie.

Mais il était blessé.

Cette blessure datait de la bataille de Gravelotte.

IX

Aucun autre détail, aucune explication dans le billet reçu par Mme Désaubray :

« Nous sommes prisonniers de guerre, lui disait son fils, et je pars pour l'Allemagne. »

Donc, il était en pleine convalescence, hors de tout danger.

Cette interprétation, cet espoir passa dans le cœur de Jeanne. Elle n'avait plus à craindre que pour son père.

De ce côté, du moins, les communications restaient libres. Le comte donnait fréquemment de ses nouvelles. Il était à Orléans, à Coulmiers. Des victoires enfin !... Hélas ! il fallut de nouveau céder au nombre et reculer en combattant, mais reculer toujours !

L'ennemi était bien loin de Trévelec. Il ne viendrait pas jusque-là... Cependant, même à pareille distance, on le sentait s'approcher.

Une morne désolation planait sur la campagne. Lorsque son blanc linceul disparaissait par intervalles, tout devenait jaune ou noir, et c'était plus lugubre encore. Jamais l'Océan n'avait eu tant de lamentations, d'aussi terribles colères. Au large, pas une voile ! À terre, plus rien qui fût en mouvement, sinon les arbres remués par la brise qui leur arrachait, comme avec un redoublement de l'âge, jusqu'à leurs dernières feuilles mortes. D'étranges plaintes sortaient des bois, pareilles à des voix qui pleurent. Tous les sentiers, tous les horizons restaient déserts... et dans les masures silencieuses, au coin de l'âtre, quelques vieillards, qui se souvenaient de l'invasion de 1814, en racontaient d'horribles choses.

Toutes récentes, mais identiques, étaient les impressions des blessés de l'ambulance. Ils venaient de jouer à leur tour, dans ce sombre drame qui se reprenait à près d'un demi-siècle de distance, les rôles de leurs grands-pères ; et, tout naturellement, les mots légendaires des grognards d'autrefois se retrouvaient aujourd'hui sous la moustache de nos zouaves. L'un d'eux, parlant des envahisseurs, avait dit à Jeanne :

- Ils sont trop !

À mesure que ces pauvres diables commençaient à se rétablir, on les admettait à la veillée. Quelques-uns faisaient de la charpie. Le zouave tricotait des cache-nez. La jeune châtelaine, avec bonté, les interrogeait tour à tour.

Un journal, certains passages des lettres du comte, étaient lus à haute voix par le père Claude. Toutes les travailleuses écoutaient, retenant leur souffle. Aux mauvaises nouvelles, un frissonnement courait parmi l'assemblée. Parfois même, quand la pluie fouettait les vitres, quand une rafale ébranlait le vieux manoir, ou bien encore quand le feu plus vif annonçait au dehors la gelée plus âpre, des soupirs, des exclamations, quelques phrases dolentes, s'entendaient sous les cornettes bretonnes :

– Ah ! Jésus Maria ! quel temps ! quel hiver ! Où sont maintenant nos pauvres gars ! Dans les bois ou sur la terre nue !... Comme ils doivent avoir froid cette nuit !

À neuf heures, Jeanne donnait le signal du départ. Grand bruit alors sous le vestibule, où chacun reprenait ses sabots. Un instant plus tard, la porte s'était refermée sur le silence.

Au dehors, on voyait les falots s'éloigner par groupes. Ils s'éparpillaient à l'entrée du village ; ils disparaissaient dans les maisons, comme sur un papier réduit en cendres s'éteignent les dernières étincelles.

Jeanne, enfin, se retrouvait seule. Elle pouvait songer à son père absent, à Bernard prisonnier.

La correspondance d'Alais devenait alarmante : « Je suis très inquiète de mon fils, disait Mme Désaubray. Les lettres qui m'arrivent d'Allemagne ne sont plus de sa main ; il les dicte à l'un de ses compagnons de captivité. Mais quelle est donc cette blessure qu'il ne m'explique pas ? Vainement il s'efforce de me rassurer... J'ai comme le pressentiment d'un malheur. »

Quelques jours plus tard, au volet de l'école, le père Claude affichait la déroute du Mans. C'était, au dire du télégramme, par la faute des mobilisés bretons, qui s'étaient enfuis sans combattre. On n'y voulut pas croire. La nouvelle se confirma. Les vieillards alors courbaient le front ; les femmes surtout se montraient furieuses. Mais quand on vit apparaître les premiers fuyards, couverts de haillons, encore en sabots, exténués de fatigue et de misère, le ressentiment fit place à la pitié.

Pour se justifier, quelques-uns exhibaient de mauvais fusils à piston. Les cheminées n'étaient pas même forées. Comment auraient-ils pu se défendre avec de pareilles armes ?

Les jours suivants, de nouvelles bandes passèrent. On eût dit que, s'entendant pour éviter la grande route, ils prenaient tous le chemin de la côte.

À leur approche, tout le village était en l'air. On courait au-devant d'eux. Peut-être allait-on revoir un fils, un frère, un fiancé !... Parfois cet espoir se réalisait. Quelle scène de joie ! Des enfants s'emparaient du sac et du fourniment. Le soldat, appuyé sur des bras amis, entouré de toute une famille, regagnait en souriant sa chaumière. Les vieux parents étaient sur le seuil. On leur criait de loin : « C'est lui ! le voilà !... Dieu nous l'a rendu ! »

Si personne du pays ne se trouvait au nombre des arrivants, l'accueil n'en était pas moins hospitalier.

« Là-bas, se disait-on, dans quelque autre village, nos enfants seront traités de même ! »

Et de grands feux s'allumaient pour ragaillardir ces pauvres garçons, harassés et morfondus. C'était à qui leur ferait une bonne soupe ou descendrait à la cave pour tirer un pichet de cidre.

Quand la halte avait lieu vers le soir, on les retenait à coucher dans les étables et dans les granges. Plus d'une fois, jusqu'au milieu de la nuit, les vitres des maisons restèrent éclairées. On eût dit le réveillon de Noël.

Mais rien que du dehors. Au dedans, pas de gaieté, pas de chansons. Des récits lugubres, des imprécations contre les chefs, le regret et la colère d'avoir été vaincus. Quoi ! tant de souffrances, tant de bonne volonté, tant d'efforts inutiles ! Il y en avait beaucoup, même parmi les plus défaillants, qui demandaient encore à retourner à l'ennemi.

L'armistice était signé. Bientôt ce fut la paix. À Trévelec, comme de tous les villages de France, un long soupir de soulagement s'éleva vers le ciel. Ah ! c'était donc fini, la guerre !

D'autre part, le printemps se hâtait comme pour nous consoler. Jamais il n'y eut une efflorescence aussi rapide, une plus merveilleuse transformation que cette année-là. Ce fut avec bonheur qu'on se remit aux travaux des champs.

Le comte revint l'un des derniers. Il ne désespérait pas de l'avenir.

Mais Bernard !... Pourquoi ne recevait-on pas de nouvelles de Bernard !... Nos prisonniers, cependant, nous étaient rendus. On en voyait partout, même à Trévelec. Et pas un mot de lui ! Plus de lettres de sa mère !

Elle écrivit enfin :

« L'affreuse vérité m'est connue ! Plains-moi, Jeanne... Il n'avait pas voulu m'affliger, il espérait la guérison. Un officier de son régiment m'a tout appris... Pauvre Bernard !... je vais le chercher là-bas, car il lui faut un guide maintenant... mon fils est aveugle ! »

X

Vers la fin de la bataille de Gravelotte, un caisson d'artillerie sauta. C'était à la batterie du capitaine Désaubray.

Violemment projeté dans un ravin, ce ne fut que dix-huit heures plus tard qu'on le retrouva, encore inanimé, couvert de sang et de blessures : un cadavre.

On allait l'enterrer avec les autres, lorsqu'un chirurgien, de ses amis, passa. Il crut remarquer que Bernard respirait encore, et le fit transporter à l'hôpital.

Durant plus de six semaines, il resta plongé dans une fiévreuse torpeur, qui du moins lui épargna les dernières angoisses morales du siège de Metz.

À l'époque de la capitulation, les forces lui revinrent comme par enchantement. Une résurrection !

Il parlait, il marchait. Contusions et blessures s'étaient cicatrisées... sauf une seule, à la partie frontale de la tête, qui le faisait étrangement souffrir. Une sorte de brouillard obscurcissait sa vue.

Nonobstant, sa main put tracer les quelques lignes qui parvinrent à sa mère.

Les vainqueurs avaient rangé les convalescents dans la dernière catégorie des prisonniers qu'ils emmenaient en Allemagne. Quand son tour fut arrivé, le capitaine Désaubray ne protesta pas. Il sentait ses yeux s'éteindre. On lui avait parlé, comme suprême espoir, d'un célèbre oculiste saxon. C'était à Dresde qu'on l'envoyait.

Dès le lendemain de son arrivée, la consultation eut lieu. Mais ce fut en vain qu'il s'efforça de lire un pronostic sur le visage du docteur. La fatigue du voyage avait encore aggravé son mal. Il ne voyait même plus ceux par lesquels il était touché.

Entre autres recommandations, le médecin lui enjoignit de garder constamment un bandeau sur les yeux.

Voilà pourquoi les lettres de Bernard n'étaient plus de son écriture. Il s'attachait à dissimuler ses angoisses ; il parlait de tout, hormis de la blessure dont la guérison se faisait tant attendre.

« Quand le dernier espoir me sera ravi, pensait-il, ma mère l'apprendra toujours assez tôt ! » Et cherchant à lui donner le change, parfois même sa correspondance affectait une gaieté qui était, hélas ! bien loin de son cœur. Celui de Mme Désaubray ne s'y trompa qu'à demi.

Ce rude hiver, si long pour tous, il le fut surtout pour Bernard.

À la signature de la paix, lorsque le chemin de la France se rouvrit aux prisonniers, le savant oculiste hésitait encore à prononcer son arrêt.

Le blessé de Gravelotte attendit.

Un jour, enfin, le docteur se reconnut impuissant.

– Partez ! dit-il à l'aveugle, qui s'écria :

– Mais je suis donc condamné !

– Par la science seulement, conclut le médecin. Il vous reste le recours en Dieu... lui seul peut des miracles !

Bernard eut un accès de désespoir et de sombre folie. Il ne pouvait se résoudre au départ, il n'osait écrire. La pensée du suicide lui vint. Ne valait-il pas mieux que sa mère apprît qu'il était mort ! Mais ses principes chrétiens lui montrèrent la lâcheté d'un tel acte.

On se rappellera comment Mme Désaubray connut enfin la vérité. Ce fut elle qui écrivit à son fils :

– Je sais tout !... Attends-moi, j'arrive !

Il y eut entre eux une scène déchirante.

– Espère encore ! lui dit-elle, lorsqu'il se fut un peu calmé. Ne te reste-t-il pas ta mère, des amis, la fortune, la jeunesse ?...

– Mais Jeanne ! murmura Bernard.

XI

Jeanne ! c'était la pensée constante, c'était le plus amer regret de l'aveugle.

Il évitait d'en parler... et cependant il en parlait toujours.

Sa mère avait dû lui répéter l'histoire du testament, du voyage, toutes les scènes qui s'étaient passées au château. Elle avait apporté la lettre de Mlle de Trévelec, et c'était, pour ainsi dire, un mémorial de sa nouvelle vie. Souvent Bernard en redemandait la lecture.

Dans toute cette correspondance, où, d'une façon charmante, la jeune châtelaine racontait ses actions, ses pensées, pas un mot cependant, pas une allusion qui rappelât cette tentative de Mme Désaubray, cette confidence, qui avait été la cause première de tout le reste. Et l'on comprendra sans peine que, pour son propre compte, la veuve du colonel en gardât le secret.

– Ce qui me console, disait donc Bernard, c'est que Jeanne ignore mon amour. Rien ne l'empêchera d'être heureuse !

On s'était mis en route, on revenait à petites journées par la Suisse.

Là, du moins, un attendrissement respectueux, de vives sympathies se manifestaient sur le passage des deux voyageurs. L'invalide de Gravelotte portait encore l'uniforme. « Aveugle ! et si jeune ! » murmuraient les femmes. Des hommes se découvraient devant cette pauvre mère qui ramenait au pays son fils privé de la lumière du ciel.

Un soir, à Berne, ils étaient assis tous les deux sur cette promenade de la Plate-Forme, d'où l'on découvre un si magnifique panorama de montagnes de l'Oberland,

– Voit-on les cimes blanches ? questionna Bernard.

– Oui, répondit Mme Désaubray. Pas la moindre brume à l'horizon !

Après un silence, l'aveugle reprit :

– Je sens sur mes mains la chaleur des rayons du soleil couchant... Les glaciers doivent resplendir, n'est-ce pas ? Orientemoi vers la Jungfrau, ma mère...

Puis, quand elle se fut prêtée à ce désir :

– Je me figure maintenant tout le panorama ! dit-il. Ah ! je le connaissais si bien, et je l'aimais tant ! Ici, le Mœnch... l'Eiger... le Wetterhorn.

Il en nomma d'autres encore, et, sans les voir, il semblait les reconnaître. Il leur souriait comme à d'anciens amis.

– Tu sais, disait-il en même temps, tu sais, ma mère, combien de fois je les ai renouvelées, ces excursions alpestres !... C'était la grande fête de mes yeux ! Ils en conservent à ce point le souvenir que, malgré tout, l'impression du paysage s'y reproduit... Ne bougeons pas ! Tais-toi ! Je regarde !

Il ne parla plus, se laissant aller à la rêverie. Rien de triste dans cette immobilité : le calme du sommeil.

Pendant quelques minutes, l'attention de Mme Désaubray fut attirée par les joyeux ébats des enfants, qui se poursuivaient sous les marronniers. En se retournant, elle aperçut le visage de son fils inondé de larmes.

– Bernard !... s'écria-t-elle, qu'as-tu donc ?...

– Rien !... Ne t'inquiète pas, répondit-il, je me rappelais...

– Quoi ?...

– Un rêve auquel je me complaisais l'an dernier... tu sais... lorsque je voulais épouser Jeanne !... Je m'étais promis, à l'exemple des fiancés suisses, que nous ferions notre voyage de noces dans l'Oberland... Ah ! je disais bien, ce n'était qu'un rêve !

– Mon enfant !

– Il se réalisera peut-être pour elle avec un autre ! acheva Bernard, et comme je lui avais souvent parlé de ce pays, mon souvenir traversera de temps en temps sa pensée. Elle dira : « Ce pauvre parrain ! » Si toutefois elle ne m'a pas déjà oublié !

Non !... Jeanne n'était pas de celles qui oublient...

Elle avait couru présenter à M. de Trévelec la lettre annonçant la fatale nouvelle. À peine en eut-il pris connaissance à son tour qu'elle lui dit :

– Mon père, ne m'avez-vous pas conté que, lors de la guerre contre l'Autriche, de jeunes Italiennes s'étaient engagées d'honneur à n'épouser qu'un soldat blessé, mutilé en défendant son pays ?

– En effet ! reconnut le comte.

– Et vous approuviez cela, n'est-ce pas ?

– Oui.

– Voulez-vous me permettre un engagement semblable à l'égard de Bernard Désaubray ?

– Y songes-tu !

– Il a voulu me prendre pour femme... quand j'étais pauvre, vous le savez, mon père, et vous lui en devez de la reconnaissance.

– Moi !

– Dame ! sans cette intention généreuse, on en serait encore à l'ouvrir, on ne l'aurait peut-être jamais ouvert, ce testament qui vous a rendu votre fille.

– Eh ! c'est juste, fit le père Claude, qui se trouvait là.

– Mais, observa le comte, Bernard est aveugle !

– Raison de plus pour devenir sa compagne et son appui ! répliqua bravement Mlle de Trévelec.

– Prends garde, ma Jeanne, d'avoir à regretter plus tard ce généreux dévouement !

– On ne regrette jamais d'avoir fait son devoir. C'est vous encore qui me l'avez dit, monsieur le comte !... Je n'agirai qu'avec votre assentiment... Mais rien ne changera ma résolution... J'ai la tête d'une Bretonne ?

– Et le cœur aussi ! répondit en l'embrassant son père. Lorsqu'ils seront de retour à Alais, où je conserve des relations, je te le dirai. Jusque-là, réfléchis encore... et patience !

Jeanne attendit, sans reparler de son espoir ; mais il brillait dans ses yeux.

Quelque chose de grave et de recueilli dans l'attitude, une sorte de sérénité répandue sur ses traits, les saintes joies de la conscience, donnaient un charme de plus, comme une auréole, à sa beauté.

Chaque matin, du regard, elle interrogeait le comte.

– Ils sont arrivés ! lui dit-il enfin.

– Partons-nous ?... demanda Jeanne.

XII

Il est temps de retourner à la villa de Tamaris : c'est le nom de la maison de campagne de Mme Désaubray.

Depuis une semaine, elle et son fils y sont de retour.

Dans cette demeure familière, où s'est écoulée son enfance, l'aveugle apprend à se diriger sans le secours des yeux, à voir, comme il le dit lui-même, avec les mains.

Il a voulu reprendre sa chambre d'écolier. Le nombre de pas qui sépare les meubles les uns des autres, il les recompte chaque matin. Avec un peu d'habitude, il retrouvera sans peine la porte et les fenêtres, le lit et le divan, les sièges, le bureau, la bibliothèque. Mais, hélas ! pourquoi maintenant des livres !

Lorsque l'heure arrive d'en sortir pour le repas, pour une promenade, on le voit, d'une allure chaque jour plus hardie, s'engager dans l'escalier, une main sur la rampe et l'autre sur l'épaule de sa mère, qui descend devant lui, attentive et le regardant à chaque marche.

– Ne t'inquiète donc pas, lui répète-t-il, je me forme à nouveau métier... courage !... Tu me suffis...

– Mais quand je ne serai plus là, mon pauvre enfant... quand je serai tout à fait vieille...

– Eh bien ! je te soutiendrai... tu me guideras...

Déjà Bernard commence à se reconnaître dans le salon. Il parvient même à retrouver sur les touches du piano quelques fragments de mélodies... Un vieux noël provençal qu'il avait appris à sa filleule et qu'elle jouait souvent.

Même étude pour le jardin. À l'aide d'une canne, il se dirige dans les allées, dans le petit bois. Il passe de longues heures dans un berceau de chèvrefeuilles et de roses qui, l'avant-dernier printemps, était la retraite favorite de Jeanne !

Il n'en parle presque jamais, mais sa mère sent bien qu'il y pense toujours.

Du reste, on vient beaucoup le voir. Anciens camarades, parents et voisins, même les autorités, c'est à qui témoignera de la sympathie, s'efforcera d'apporter quelque distraction au glorieux blessé de Gravelotte...

Il faut savoir que ses yeux sont éteints, car ils ont conservé l'apparence de la vie. Aucune taie ne les recouvre. Il n'est nullement défiguré. La cicatrice de son front est de celles qu'on aime à voir sur le visage d'un soldat.

Chez tous les aveugles, le sens de l'ouïe se développe singulièrement. Rien ne leur échappe. Un jour Bernard dit à sa mère :

– Le facteur n'a pas apporté que des journaux ce matin... Quelle nouvelle as-tu reçue dont tu ne parles pas ?

Mme Désaubray répondit, mais en rougissant :

– La circulaire d'une œuvre de charité. Rien qui t'intéresse.

Nouvelle question le lendemain.

– Qui donc est venu hier soir ?... Longtemps après que j'étais remonté dans ma chambre, j'ai entendu des pas, des voix... Mais tu me caches donc quelque chose ?

– C'était notre vieux médecin, expliqua la mère. Tu ne voulais pas le consulter ; il est venu causer avec moi.

Tout autre qu'un aveugle eût remarqué le trouble de Mme Désaubray. Cette lettre, elle était de M. de Trévelec ; celui qu'elle avait reçu secrètement, c'était le comte.

Un peu plus tard :

– Viens au salon, proposa-t-elle à son fils.

– Pourquoi pas au jardin ?

– J'attends une visite.

– Quelle visite ?

– J'ai promis de ne pas te le dire d'avance. On te ménage une surprise.

Plusieurs fois déjà cette même circonstance s'était présentée. L'aveugle accepta le bras de sa mère, et, d'un air indifférent, se laissa guider par elle.

Sur le seuil cependant il s'arrêta, aspirant l'air et prêtant l'oreille.

Pressentait-il le pieux mensonge de sa mère ?

Ces visiteurs qu'elle ne voulait pas nommer, qu'elle prétendait attendre, ils étaient là dans un coin du salon, mais immobiles et retenant leur souffle.

Jeanne, le comte de Trévelec et le bonhomme Claude.

N'entendant aucun bruit, Bernard se remit en marche. Sa mère le conduisait vers un fauteuil. Il s'assit tout rêveur.

Après un silence :

– À quoi penses-tu, mon enfant ? lui demanda-t-elle, tu me sembles plus triste que de coutume.

Il voulut protester.

– Oh ! fit-elle, je le vois bien !

– Tu vois, la belle affaire ! répliqua-t-il avec une feinte gaieté : mais la plupart du temps nos yeux nous trompent, et ce n'est vraiment pas la peine d'en avoir.

– Ainsi donc, reprit-elle en échangeant un signe avec les autres, ainsi, tu commences à te faire une raison ? Tu ne penses plus à Jeanne ?

Il tressaillit tout à coup, il porta la main à son cœur, en s'écriant :

– Ma mère !... Ah ! tu ne crois pas ce que tu viens de dire, ma mère !... Ne plus songer !... Mais tu sais bien que c'était pour toute la vie !... Toi seule en as reçu la confidence... elle ne le saura jamais...

Mme Désaubray l'interrompit :

– Et si Jeanne en était instruite !... Si d'elle-même, avec la générosité du dévouement, elle venait s'offrir à toi !...

– Ce ne serait qu'une douloureuse épreuve pour nous deux, répondit-il avec une sombre résolution, car je n'accepterais pas son sacrifice...

– Pour elle, autrefois, tu voulais bien donner ta démission...

– Hélas ! je ne puis pas donner ma démission d'aveugle !... L'associer à ma nuit, elle, cet ange de lumière ! jamais !... Si tu lui écris, si tu la revoyais, tais-toi... garde mon secret ! qu'elle ne soupçonne rien !... que rien ne trouble sa joie ! Il ne m'est plus permis d'être heureux qu'en rêve, et je le serai... je le suis... Ne t'ai-je pas dit un jour que, pour nous autres, il y avait une seconde vue, cette du souvenir, celle du cœur ? Je n'ai pas besoin de mes yeux pour la voir, ma mère !... Quand tu me crois triste, c'est que je songe à elle ! J'évoque par la pensée son image... Il me semble qu'elle est là, devant moi, souriante et charmante... Je la regarde, je lui parle... et comme ce n'est qu'une ombre à qui l'on peut tout avouer, je lui dis : Je t'aime, Jeanne... je t'aime !...

Il ne croyait pas si bien dire, Jeanne s'était approchée de lui.

XIII

Elle ne put retenir un sanglot étouffé.

L'aveugle aussitôt s'arrêta. Il écoutait.

- Mais c'est moi ! dit Mme Désaubray, pour attarder encore l'émotion qu'elle redoutait. N'est-ce pas naturel qu'en t'entendant parler ainsi je pleure ?

- Pardon, s'écria-t-il en la cherchant pour l'embrasser. Ne t'afflige pas. Au contraire, je me sens heureux ! Me voilà calmé... Tiens ! donne-moi un peu d'eau, j'ai soif.

La carafe était à côté, sur un guéridon. Mme Désaubray remplit à moitié le verre. Jeanne s'en empara pour le présenter à Bernard.

- Pauvre mère ! dit-il, comme tu trembles !

Puis, après avoir bu, saisissant la main qui reprenait le verre :

- Mais... fit-il avec un tressaillement soudain, mais ce n'est pas ta main, ma mère ! Qui donc est là ? Qui donc ?

Il y eut un silence.

Personne ne bougeait. Toutes les poitrines étaient oppressées. Dans tous les yeux, des larmes.

Enfin, une douce voix murmure :

- Ne le devinez-vous donc pas, mon parrain ? C'est moi...

- Jeanne !

Dire la stupéfaction, le ravissement, l'extase de l'aveugle, ce serait impossible.

Elle continua :

- Moi-même ! Et j'ai tout entendu.

Bernard fit un mouvement.

- Ne regrettez pas que votre cœur ait parlé devant moi ! poursuivait-elle. Ce qu'il vient de dire, d'autres me l'avaient appris déjà.

Et comme il semblait étonné :

- Ta mère, d'abord ! lui dit celle-ci.

– Jeannette n'est pas venue toute seule, ajouta le bonhomme Lefebvre.

– Quoi ! se récria l'aveugle, vous êtes là, père Claude !

– Eh ! oui, morgué !...

En même temps que Bernard entendit ce nom, le bruit d'un fauteuil dérangé, des pas s'approchant de lui, frappèrent son oreille.

– Le comte... fit-il, le comte de Trévelec...

– C'était lui qui m'écrivait hier matin, s'expliqua Mme Désaubray. Hier soir c'était lui qui m'amenait M. le comte.

– Et je me suis entendu avec madame votre mère, répondit le gentilhomme, et je m'estimerai heureux de vous nommer mon fils...

L'aveugle ne put contenir un premier mouvement de joie.

– Un mariage !... Et Jeanne se dévouerait !... Vous consentiriez !...

– Nous arrivons tout exprès de Bretagne, répondit le comte.

Déjà Bernard était redevenu maître de lui-même.

– Accepter un pareil sacrifice ! répondit-il héroïquement, non... non, je ne dois pas... je ne veux pas...

Jeanne l'interrompit :

– Quand je n'étais qu'une pauvre fille, dit-elle, c'est vous, mon parrain, qui veniez à moi... Chacun son tour !

Et, comme il résistait encore du geste :

– Mais je vous aime aussi, Bernard ! s'écria-t-elle. Osez donc me renvoyer maintenant... je vous en défie !

Ce fut en vain qu'il voulut répondre. Des larmes inondaient son visage, des sanglots étouffaient sa voix.

Le père Claude eut une inspiration.

– Laissons-les seuls tous les deux, proposa-t-il. Monsieur le comte reviendra savoir dans un instant si le gendre qu'il est venu chercher de si loin persiste encore dans son refus.

Les parents se retirèrent, suivis du bonhomme Lefebvre.

Au moment de disparaître, il avait dit :

– Bernard... mon enfant... ne soyez pas ingrat envers elle !

Lorsque le père de Jeanne reparut sur le seuil, Bernard serrait la main de Jeanne et acceptait son dévouement héroïque.

– Dieu soit loué ! murmura Mme Desaubray.

– Eh ! eh ! fit le père Claude, gageons que tout est arrangé, morguène !

Le comte de Trévelec demanda :

– Faut-il que je remmène ma fille ?

– Non ! répondit-elle, il me garde !

XIV

Quinze jours plus tard, toute la population d'Alais assistait au mariage.

Jeanne avait au front comme une auréole.

– Mon enfant, je suis fier de toi ! lui dit son père.

Le bonhomme Claude semblait rajeuni de vingt ans.

Le blessé de Gravelotte venait de recevoir du ministre la rosette d'officier de la Légion d'honneur : c'était le cadeau de noce de la France.

Quand on sortit de l'église, cette même église où, dix ans plus tôt, avait eu lieu le baptême :

– Alors, dit l'aveugle à sa femme, c'était ton parrain qui t'adoptait, aujourd'hui que le voilà devenu ton mari, c'est toi qui l'adoptes !

Jamais nouvelle épousée ne fut aussi saintement heureuse que Jeanne.

Le comte s'en était retourné à Trévelec, afin de tout préparer au château pour ses deux enfants ; ils ne tardèrent pas à l'y rejoindre.

Quelle différence avec le premier voyage, à la dernière étape surtout, par le chemin de la côte !

Mme Désaubray, le vieux Claude, accompagnaient les jeunes mariés.

Délicieux furent les premiers mois de leur séjour à Trévelec.

Si parfois une ombre de mélancolie redescendait sur le visage de Bernard, s'il paraissait se reprocher son bonheur, ou l'attribuer au dévouement de sa jeune femme :

– Ingrat ! lui disait-elle tout bas, mais j'ai le droit de te l'avouer à présent... C'est de l'affection vraie !

Et, s'il s'obstinait à croire au sacrifice :

– La plus heureuse de toutes les femmes, ajoutait Jeanne, mais c'est celle d'un aveugle. Les autres maris ont des plaisirs, des affaires qui les attirent et les retiennent hors de la maison. Ils s'absentent, ils voyagent... et toi, Bernard, tu ne me quittes pas !... Je te possède tout entier... Rien qui ne nous soit commun... Quand tu marches, c'est en t'appuyant sur mon bras... Toutes les impressions du monde extérieur, je te les transmets... Le paysage qui nous environne, ses effets de lumière, les événements de chaque jour, le livre qui t'intéresse, la musique qui te charme, ces mille petits bonheurs dont se compose la vie, je te les donne, ou plutôt, je les partage avec toi. Ta femme est en même temps ta lectrice et ton guide. Tu ne vois que par mes yeux... Mes yeux sont tes yeux !

En réalité, tout en le guidant à travers ce domaine dont les chemins lui devenaient familiers, Jeanne expliquait, Jeanne décrivait toutes choses... les grands arbres qui frissonnaient sur leurs têtes... les massifs de fleurs dont les parfums passaient dans l'air, l'Océan qui grondait à l'horizon... l'aspect de la terre et du ciel...

Et la tendre sollicitude de la jeune femme prêtait à son langage une telle vérité, un tel charme, que parfois l'aveugle, dans un élan de reconnaissance et d'amour, s'écriait :

– Quand tu me parles ainsi, je vois !... je vois !... Parle encore !

Ne serait-ce toujours qu'une illusion ?

En traversant Paris, on avait consulté le plus célèbre spécialiste de notre Académie de médecine.

– Je n'ose me prononcer, avait-il dit ; mais laissons agir la nature. Il se peut qu'il y ait un réveil !

Ce réveil, on l'espérait ; on en épiait les moindres indices.

Un soir, au salon, Jeanne lisait à haute voix le journal.

Sur l'étroit guéridon qui la séparait de son mari, une lampe était allumée.

Il se recula tout à coup, faisant un geste douloureux.

– Qu'as-tu ? lui demanda-t-elle,

– Éloigne cette lampe, répondit-il.

– Pourquoi ?

– Sa clarté m'a fait du mal.

– Ah ! murmura Jeanne avec un frémissement de surprise et de joie.

– Mais tu la vois donc ? questionna Mme Désaubray.

– Un nuage lumineux... voilà tout ! dit l'aveugle.

– Mais il y a quelques jours... hier soir... ce n'était pas ainsi ?

– Non !

– Morgué ! fit le père Claude, c'est un commencement !

– Une lueur d'espérance ! ajouta Jeanne.

Quelques semaines plus tard, sous les tilleuls du parc, Bernard était assis dans l'ombre.

Jeanne, qui l'avait un instant quitté, revenait vers lui. Comme elle s'arrêtait, un rayon de soleil, glissant à travers le feuillage, éclaira tout à coup le corsage de la jeune femme.

– Ne bouge pas, s'écria l'aveugle, attends !

Les yeux fixés, le bras étendu vers la ceinture de Jeanne, il semblait y désigner, y regarder un objet.

Elle avait obéi.

– Explique-toi, fit-elle.

– N'as-tu pas là, lui demanda son mari, quelque chose qui brille ?

– Oui ! Cette montre avec nos deux chiffres en diamants que m'a donnés ta mère...

Et, toute rayonnante elle-même, elle les faisait scintiller au soleil.

– Leur éclat me frappe ! dit Bernard.

Un autre jour, il s'informa si Jeanne ne portait pas une robe rose.

C'était vrai !

Après l'éclat, les couleurs.

– C'est le réveil, dit le père Claude.

– Retournons à Paris, proposa le comte. Tout est prêt pour vous y recevoir... Les arrêts de Berlin ne sont pas irrévocables !

On partit.

Que de beaux rêves durant ce voyage !

Bernard seul restait incrédule.

– Dieu fait encore des miracles, dit Claude, pour récompenser les braves cœurs qui croient en lui !

Cette dernière consultation eut lieu à l'hôtel de Trévelec.

Tout présageait, tout attestait que, dans six mois, le blessé de Gravelotte ne serait plus aveugle.

Le même soir, lorsque Jeanne se retrouva seule avec Bernard, elle lui dit :

– Un bonheur ne vient jamais seul... Le second, celui que tu vas apprendre, je te l'avais réservé comme une consolation...

– Parle !

Elle le prit dans ses bras, et tout près, à l'oreille, elle compléta son aveu.

– Vrai ! s'écria-t-il tout palpitant de joie. Et ce serait pour la même époque ?...

– Oui !... Tu verras notre enfant ! conclut Jeanne.

Milton Keynes UK
Ingram Content Group UK Ltd.
UKHW050757031023
429856UK00010B/427